JN320377

勉強にハマる脳の作り方

暗記はするな!!

効率的に「強い記憶」を作りたいのなら暗記はやめましょう!「記憶」とは神経細胞同士の「つながり」です。合理的に「つながり」をつくるには「理解すること」が重要。本書では、脳科学による効率的に「理解を強める記憶法」がわかります。

（脳科学と臨床心理学が合体!
読めば結果が出る
35のレッスン）

諏訪東京理科大学教授
篠原菊紀
[Kikunori Shinohara]

フォレスト出版

突然ですが、本書のテクニックは強力です。

本気で読み込めば、「ハマり」、一歩間違えれば、「依存症」になってしまうかもしれません。

私は「血中物質研究」や「脳イメージング法」を使って、「ハマりの研究」をしてきました。長いことカウンセリングにもかかわっています。

その知識を使って、この本を書き上げました。

あなたが、「依存症」にならないように気をつけて書きましたが、絶対に「依存症」にならないとはいい切れません。

それでも興味がある方は、先をお読みください。

※本書では、社会生活を破綻させて何かに依存することを「依存」。普段の生活も充実させながら、何かに没頭することを「ハマる」と定義しています。

まえがき

●期限はスグにやってくる!

本書を手にとっていただき、ありがとうございます。

あなたがこの本に、興味を持ったということは、

「資格試験、昇進試験、入学試験などに合格したい!」

「語学試験で高得点をとりたい!」

「仕事のスキルをアップさせたい!」

「語学を習得して、多くの人たちと話したい!留学したい!」


…などの目標があるからではないでしょうか?

そして、その目標には期限があるはずです。

しかし、そういう目標を、たいていの人が断念しています。

なぜなら、勉強することは辛いからです。

イメージしていただければわかると思いますが、勉強で結果を出せない原因にはこのようなことがあります。

「勉強に集中できない…」
「記憶したことを忘れてしまう。記憶することが苦痛だ…」
「毎日、コツコツ勉強を続けることができない…」
「あなた一人だけが勉強しているような気分になって、むなしくなりモチベーションが続かない…」

では、このような悩みは、なぜ起こるのでしょうか？

それは、ズバリ「勉強にハマって」いないからです！

「勉強にハマっていない」ということは、効率的に勉強ができません。
つまり、目標の期限にも間に合うわけがないのです。

松下幸之助さんもビル・ゲイツ氏もイチロー選手も、それぞれの目標を達成するための技術を勉強することに「ハマった」から成功しているといえます。

●パチンコ依存症のように、勉強にハマる

もともと脳は勉強などという不自然極まりないことをすることが苦手です。
人間は、勉強するようには作られていません。

しかし、ご安心ください。

本書では、「依存する脳のメカニズム」を使って、「勉強にハマる」方法がわかります。

「パチンコ」に依存している人たちのことを考えてみましょう。

パチンコ人口は減少傾向にあるとはいえ千数百万人。20～30兆円産業ともいわれる巨大産業です。

- **パチンコをするために、消費者金融でお金を借り、破産する人**
- **真夏の炎天下の中パチンコするために、わが子を車に置き去りにして殺してしまう親**
- **パチンコがしたいがために、仕事が手につかず社会不適格になってしまう人**

何時間でも集中して台に座り続け、毎日パチンコ屋に通い続けています。さらに、複雑なリーチの種類などを記憶し、勝負のためにお金を借りたりします。

このように、パチンコに依存してしまう人は、普通では考えられないほどの「ハマり」方をしてしまいます。

つまり、社会生活を壊しながら、「強くパチンコにハマっている」のです！

だから、強い「集中」「記憶」「やる気」ができているのです。

それでは、この「依存のメカニズム」を使って「勉強にハマる」ことはできないのでしょうか？

答えは「できる！」です。

実は、「依存症の脳の仕組み」はわたしたち、もちろんあなたの中にもあります。

ですから、この仕組みを使えば「勉強にハマる」ことは可能です。しかも、社会生活も充実させながらです。

●不安定な日本経済の中でも生き残る唯一の方法！

リーマン破綻、ドルの暴落、サブプライム問題、レバレッジ経済の終焉、経営不振、ハケン切り…。

日本経済は落ち込み、不況はまだまだ続くでしょう…。

あなたの会社はどうですか？
あなたの収入はどうですか？
クビにならないといい切れますか？

そんな中で、この状況を打開できる方法はやはり、勉強することではないでしょうか。

日本、ヨーロッパ、アメリカ、中国のお金持ちが、今、力を入れていることは稼ぐことではありません。勉強です。

子供の教育に力を入れ、自分の勉強に力を注いでいます。

あなたが、「今の地位を確実なものにする」、「今よりもいい生活をする」ためには、勉強して力をつけることが一番確実なのです。

●それでもあなたの脳はがんばってくれる！

幸い、この経済状況の中でも、あなたの中にひとつだけ「強くできる」ところがあります。それは、脳です！

脳を使って勉強して、その道のスペシャリストとなり、あなただけのポジションを確立しましょう。

そうすれば、あなたは社会にとって必要な人間となり、停滞、収縮する経済情勢の

中で生き残り、稼ぐことができます。

「その道のスペシャリスト」になる、それは脳を「公共的に使う」ということです。

つまり、「勉強する」ということは、あなたの社会生活を充実させるモチベーションにもなり得るのです。

●この方法なら、強い「集中」「記憶」「やる気」「勝負力」が手に入る！

本書は、このような作りになっています。

プロローグ「ぼくは、どうすれば集中できるようになるんですか？」では、脳科学的、臨床心理学的に「勉強にハマる」ということはどういうことかがわかります。

1章「『ハマり』の仕組みをイメージする！～『やる気』と『ハマり』の関係～」では、「『勉強にハマる』ための脳の回路の作り方」、「やる気の作り方」を解説しています。

2章「強い『ハマり』を作る2つの快感とは？」では、脳が「ハマる」ために絶対に必要な2つの快感の作り方についてお話ししました。

3章「儀式を作る！脳科学とカウンセリング技法に基づいた『正しい集中法』」では、気が散る、勉強を始められない、三日坊主など、集中に関する問題を解決する方法が具体的にわかります。

4章「暗記はするな！効率的に『強い記憶を作る方法』」では、効率的に強い記憶を作る方法を、わたしたちの脳関連実験データを踏まえて書きました。

5章「脳は達成する！『勝負力の作り方』&『時間管理術』」では、あなたの脳のリズムを使った「時間管理法」、さらに本番での「勝負力」をつける方法がわかります。

さらに、各章にレッスンを付けた実践型の勉強本にしました。

結局、勉強は脳の使い方で決まります！

脳を、どうにかして勉強に適用させせなければなりません。そのとき、役に立つのが、「脳科学」や、「臨床心理学」の知識です。そこから導かれる技法です。

・忙しくて勉強する時間がとれない人

・勉強、仕事などのスキルを短期間で身につけたい人
・資格試験、昇進試験、語学試験、入学試験などが迫っている人
・本番で、力を発揮するための「勝負力」をつけたい人
・勉強が続かない人
・脳科学に基づいた、効率的な「集中法」「記憶法」「やる気の作り方」を知りたい人

このような人に役立ちます。

あなたが効率的に勉強をしたいのなら、本書の中のテクニックをひとつでもいいから使ってみてください。
きっと今までとは違う、勉強に対する「しなやかで、パワフルな脳」を実感していただけると思います。

あなたの夢が最短で叶うことを願っています。

それでは、プロローグから気軽に読んでみてください。

もくじ

●第3章 儀式を作る！脳科学とカウンセリング技法に基づいた「正しい集中法」

第4章 暗記はするな！効率的に「強い記憶を作る方法」

●第5章　脳は達成する！「勝負力の作り方」＆「時間管理術」

プロローグ
ぼくは、どうすれば集中できるようになるんですか？

●ぼくは、どうすれば集中できるようになるんですか？

ＮＨＫのラジオ番組に『夏休み子ども科学電話相談』というものがあります。**昆虫の話、鳥の話、動物の話、魚の話、天体の話など夏休みを過ごす子どもたちからの電話質問に、専門家のコメンテーターたちが直接答える番組です。**

子供たちの質問はなかなか鋭く、コメンテーターが右往左往する場面も少なくありません。ベストな回答をしたつもりでも、子供たちが納得していない雰囲気が伝わってくるケースも多く、立ち往生してしまいます。

その専門家の追い込まれ具合が楽しみだというオールドリスナーも多いそうで、耳の肥えた人たちがラジオの向こうにいることを想像すると、ますます追い込まれます。

わたしはここ数年、この番組で「心とからだ」の担当をしています。

「心はなぜ見えないの？」

「弟をいじめたい気持ちが起こるのはなぜ？」

「どうして心臓は左にあるの？」

「どうすれば国語が好きになりますか？」

…などなど。


ご多分にもれず、わたしも右往左往します。

午前中の番組ですが、昼終わるころになると、嫌な汗をじっとりとかくのです。夏場ですから脇がぐっしょり…。


あるとき、沖縄の小学一年生から、こんな質問がありました。

「こんにちは、
ぼくは集中力がないんだけど、どうしたら集中力がつきますか？
教えてください」

夏休みも終わりに近いころでした。電話の向こうで、男の子が宿題を前に困っている様子が目に浮かびます。

「すごいね！
集中力なんて言葉、よく知っているね。
いい質問だ。
こんな質問ができれば、そのうちに、すごく集中できるようになるよ。
おじさんにいろいろ聞かなくても、◯◯くんは、いずれ集中力がついてくると思う。
それは間違いない！

でも、君はラッキー。
おじさん、実は、『やる気』や『集中力』の専門家なの。
その質問に答えるのが大得意なの！

だから、しっかり聞いておいてね。

とりあえずは、夏休みの宿題だよね？
これを、ガーっと集中して終わらせたい。
ついでに『集中力』をつけたい。

それにはまず、夏休みの宿題帳をぱらぱら見ます。
どの場所でそれをするのか決めます。
いつもの場所がベスト。
まずその場所を、きれいにします。
机の上も整理すること。
できれば、机の上を拭いておくといいね。

それから、目覚まし時計を机に置きます。
夏休み帳を机の上に広げます。

そうしたら、30分でどこまでできるか考えます。
そして、そこにしるしをつけます。
無理しない量、できる量でね。

ここからが大切！
おかあさんとか周りの人に、こうお願いします。

『ぼくは、集中力をつけたい！』
『集中力がつくように、これから一生懸命やります！』
『30分たって一区切りついたら、できた！っていうから褒《ほ》めてね』
『それがぼくの集中力を高めるコツだって、ラジオのおじさんがいってた』

いい？
できる？
難しいけど。

じゃ、やって。
今スグ。
OK？」

この本でみなさんにお伝えしたいのは、この小学生とのやりとりのようなことです。

こういうやりとりの中に埋め込んだ、自分のアタマを「勉強アタマ」にするきっかけ。それを、この本を読むことを通して、たくさん、しかも実感をともなってつかんでいただきたいのです。

自分の脳を「勉強にハメる」方法を、その背景となる「脳科学的な知識」や「臨床心理的な知識」とからめてつかんでいただく。

そのために、実践型のレッスンも用意しました。
そこで、想像してイメージする。

そのことこそ、「勉強アタマ」作りへの道です！

だまされたと思って素直にイメージしてください。

「レッスン」ではちゃんと立ち止って時間を作って想像してください。

読後、きっとパワフルでしなやかな「あなた」に出会えるはずです。

理屈ではなく、実感として。

第1章

「ハマり」の仕組みを
イメージする！
～「やる気」と「ハマり」の関係～

ハマりの仕組みをイメージしましょう！
ハマっている他人や自分を、ＤＶＤを見ているように思い描きます。
すると意欲がわきやすくなり、実行可能性も上がるのです。

●「依存」と「ハマり」

「薬物依存」「アルコール依存」「たばこ依存」「ギャンブル依存」「ネット依存」「ケータイ依存」「ブランド依存」「恋愛依存」「デイトレード依存」…などなど。

人間は、実にさまざまなことがらにハマれます。うっかりするとハマりすぎて、生活破綻をきたします。

ハマり、依存、依存症、中毒…。何かに夢中になってのめり込んでいく状態には、いろんな名前がついています。

「のめり込んでいく」状態にも、様々なレベルがあるからです。

「いいのめり込み」もあれば「困ったのめり込み」もあります。社会的に認められるのめり込みもあれば、認められないものもあります。病的なものもあれば、そうでないものもあります。

たとえば、米国精神医学会の『ＤＳＭ─Ⅳ─ＴＲ精神疾患の診断・統計マニュアル』（医学書院）には「特定不能の行動制御の障害」という分類があります。その中に「病的賭博（pathological gambling）」という項目があります。

パチンコ依存など、ギャンブル依存の診断はこの基準にのっとって行われます。

A．以下のうち5つ（または、それ以上）に該当する、持続的で反復的な不適応的賭博行為。

【1】賭博にとらわれている
（例：過去の賭博を生き生きと再体験すること、ハンディを付けること、または次の賭けの計画を立てること、または賭博をするために金銭を獲る方法を考えることにとらわれている）

【2】興奮を得たいがために、掛け金の額を増やして賭博をしたい欲求がある

【3】賭博するのを抑える、減らす、やめるなどの努力をくり返したが、成功しなかったことがある

【4】賭博をするのを減らしたり、やめたりすると落ち着かなくなる。またはイライラする

【5】問題から逃避する手段として、または不快な気分（例・無気力、罪悪感、不安、抑うつ）を解消する手段として賭博をする

【6】賭博で金をすった後、別の日にそれを取り戻しに帰ってくることが多い（失った金を深追いすること）

【7】賭博へののめり込みを隠すために、家族、治療者、またはそれ以外の人に嘘をつく

【8】賭博の資金を得るために、偽造、詐欺、窃盗、横領などの非合法的行為に手を染めたことがある
【9】賭博のために、重要な人間関係、仕事、教育または職業上の機会を危険にさらし、または失ったことがある
【10】賭博によって引き起こされた絶望的な経済状態を救うために、他人に金を出してくれるように頼る
B．その賭博行動が、躁病エピソードではうまく説明されない。

「ネット依存」「ゲーム依存」「ケータイ依存」の場合も、この項目の「賭博」の部分を、「ネットをすること」「ゲームをすること」「携帯をすること」などに置き換えて議論しているのが普通です。

ここで注目しておきたいのは、この10項目のうち6項目は「とらわれ」「欲求」「イ

ライラ」など、心身や脳がハマっている度合いを示していますが、残りの項目は個人の脳や心身の状態の話というより、社会的な逸脱の程度の話になっていることです。少なくとも、「ギャンブル依存」では社会的な逸脱の度合いが診断基準の大きな部分を占めています。

「いいのめり込み」と「困ったのめり込み」、「病的ハマリ」と「正しい（?）ハマリ」その境目には社会があります。そのときの社会の規範や倫理が障害の診断にすら大きくかかわってくるのです。

この本では「困ったのめり込み」や「病的なハマり」を、「依存」、「依存症」と呼ぶことにします。一方、「何かにのめり込む」「ハマる」という状態を、社会的逸脱とは無関係に「ハマる」と呼びます。

そして、**この本の主題は、「ハマるメカニズム」を利用して、「勉強アタマ」を作ることです。**

勉強アタマを作って「集中力」「記憶」「やる気」をアップさせることです。

●「依存」につながる脳の仕組みは誰にでもある！

さて、「ハマる」と、気がつけばそれをするようになっていきます。ギャンブルに、ネットに、アルコールに、ドラッグに、ブログにと、知らぬ間にハマっていきます。デイトレードなどの株や証券取引も同じです。少ない自己資本で数十倍、数百倍の取引をすることで成り立っていた金融バブルが、いずれはじけることは皆うすうす知っていました。しかし、次々にやってくる報酬（金銭的な）には抗《あらが》いがたく、バブルが弾ける前に取引の連鎖を止めることが誰にもできませんでした。コワい話です。

しかし、この「気がつけば○○してしまうようになる」仕組みはとても役立ちます！

この仕組みは、なにも依存症の人の脳の中だけにある特殊な話ではありません。わたしたちの脳の中にも、同じ仕組みが存在しています。

その仕組みは、「依存」につながるコワい仕組みではありますが、見方を変えれば役に立つ仕組みでもあります。

意識せず、気がつけば勉強している、止められない。そうだとすれば、ありがたい話ではないでしょうか？

●「快感」と「無意識的な行動」

では、誰にでもあるハマりの仕組みを利用するとして、そもそも私たちが何かに「依存」したり、「ハマったり」するとき、脳ではどのようなことが起こっているのでしょうか？

ズバリ、このとき、脳では2つのことが結びついています。

「無意識的な行動」と「快感」です。

この2つが結びついて、ハマっていくのです。

まず「無意識的な行動」について説明します。

たとえば、パソコンのブラインドタッチ、クルクル回すペン回し、格闘ゲームのコマンド入力、バスケットのドリブル…、なんでもいいです。

こうしようと思わなくても、そのやり方に意識を払わなくても、無意識に自然にできるようになっていく事柄を思い浮かべてください。

ここでは、バスケットのドリブルを例に考えていきましょう。

最初からドリブルができる人はそうはいません。見た感じできそうでも、実際やるとあちこち跳ねたりしてしまいます。

「ボールの中心を意識して」

「手、全体で包み込むように」
「跳ねてくるボールの力を、引いて吸収するように」

さまざまな注意やコツを、最初は意識します。意識して腕を動かし、跳ね返りの誤差を修正していきます。その試行錯誤です。

しかし、**ある段階を超えると、腕を動かす意識がなくても自然にドリブルができるようになります。**さらに進めば、手元を見なくてもドリブルができるようになります。相手の動きを出し抜くフェイントをしながら、なおドリブルを維持できるようになっていきます。シュートへの滑らかな連動も楽にできるようになっていきます。

このときの脳を見ていくと、まず脳の表面、大脳新皮質《だいのうしんひしつ》が活動します。筋肉に対して指令を出す運動野《うんどうや》や、運動のプランニングをする前運動野が活動します。これらの活動だけで手に負えないと前頭前野《ぜんとうぜんや》も補助的に活動を高めます。

しかし、これらの脳の表面の活動はドリブルの慣れにともなって徐々に低下していきます。まず活動が右から左、前から後ろへと移っていき、さらに脳の奥、大脳基底《だいのうきてい》核《かく》に活動の中心が移ります。とりわけ大脳基底核のひとつ、「線条体《せんじょうたい》」が活動を高めます。

ざっくりいえば、**脳の表面の活動は意識に上がりやすく、大脳基底核など脳の奥の活動は無意識的**です。ですから、**脳の表面から奥への活動の移動は、意識的な状態から無意識的な状態への移行を示している**のです。

バスケットのドリブルが自在になるにつれ、脳活動の主役が線条体に移動して、より無意識化していくわけです。そして無意識的になった分、フェイントやシュートなど余分な行動に意識が払えるようになるわけです。

●「ハマりの回路」は「やる気の回路」

少し、小難しい話をします。

大脳基底核のひとつの線条体は、尾状核《びじょうかく》と被殻《ひかく》と側坐核《そくざかく》とからなります。この被殻は淡蒼球《たんそうきゅう》とあわせてレンズ核と呼ばれます。

まあ、名前はどうでもいいですが、この線条体は自転車に無意識で乗れるようになったり、卵を割らずにそっとにぎれたり、そうした習慣的な行動や、微細な運動調整にかかわります。つまり、無意識的な行動にかかわるわけです。

その一方で、線条体の腹側は側坐核と呼ばれ、快感にかかわるドーパミン神経系と強くアクセスしています。「アルコール」「ニコチン」「覚せい剤」「コカイン」「モルヒネ」「フェンサイクリジン」など依存性薬物の作用部位はおおむね側坐核です。たばこも、最終的には側坐核でドーパミン分泌を高めます。

ほかにも、食後の糖質摂取で強く活動したり、異性の写真を見せたときに側坐核の活動が高まったりします。特に好みの異性の写真を見たときに活動が強まったり、好みのブランド物で反応したりと、「快感」やその予測との結びつきが強い部位が側坐核です。

つまり、**線条体は無意識化した行動の蓄積や制御の場でありながら、快感の場でもあるのです。**

線条体で、「無意識的な行動」と「快感」が結びついているわけです。

無意識的な行動と快感が知らない間に結びついているからこそ、**「気がつくと○○**

をしてしまう」とか、「なんとなく○○の方に気がいってしまう」という無意識的な行動が起きやすくなるのです。

そんな仕組みがあるので、たとえば、ゲームでコマンド入力が自在化すると何だか気持ち良かったりするわけです。すんなり、意識せずにできることは気持ちいいのです。

この線条体を中核とする回路が「ハマリの回路」です！

同時に、これが「やる気の回路」になります。

第2章
強い「ハマリ」を作る２つの快感とは？

「ワクワク」「ドキドキ」の快と、「ほっとする」「落ち着く」快、その組み合せが、「ハマリ」を作ります。

この快のイメージをしっかり作ってください。

●「あっ！勉強アタマになっちゃった！」

この本の主な目的は、「ハマりの回路」「やる気の回路」を勉強に対してフル回転させることです。

その目的を実現するために、自分自身が何かにハマっている状態を具体的にイメージしていただきます。

脳科学に基づいた、「勉強にハマる」ためのトレーニングです！

このトレーニングをすることによって、あなたは**「記憶」「集中」「モチベーション」を強め、高めること**ができます。

この本では、ハマっている人の脳をイメージしたり、その脳のメカニズムを画像的に思い描いたり、自分自身が「勉強ハマり」しているシーンを思い浮かべてもらったりします。

そういうイメトレを通して、

「あっ！勉強アタマになっちゃった！」

を目指します。

● 2つの快感を知る

さて、まずみなさんにイメージしていただきたいのは、2つの「快感」です。

その1つ目は、

「わくわくする」「どきどきする」

…などの**興奮的な快感**です。

普通に皆さんがいうところの快感は、この「わくわくする」「どきどきする」快感です。

まず、この「快」からイメージしていきましょう。

「わくわく」「どきどき」しているとき、脳では、脳の奥にある脳幹の一部、「腹側被蓋《ふくそくひがい》」というところから、おでこのあたりの脳、前頭葉に投射しているドーパミン神経系が強く活動しています。

図（45ページ）をしっかり見ながら、自分の脳の奥から前頭葉に広がっていくドーパミン神経系をイメージしてください。

この神経系は、快感系、報酬系などと呼ばれます。A10神経系と呼ばれることもあります。

「側坐核」を見てください。快を感じたとき、報酬を得たとき、ここが強く活動します。快や報酬を「予測した」ときも、この神経系を含むドーパミン神経系が活性化します。

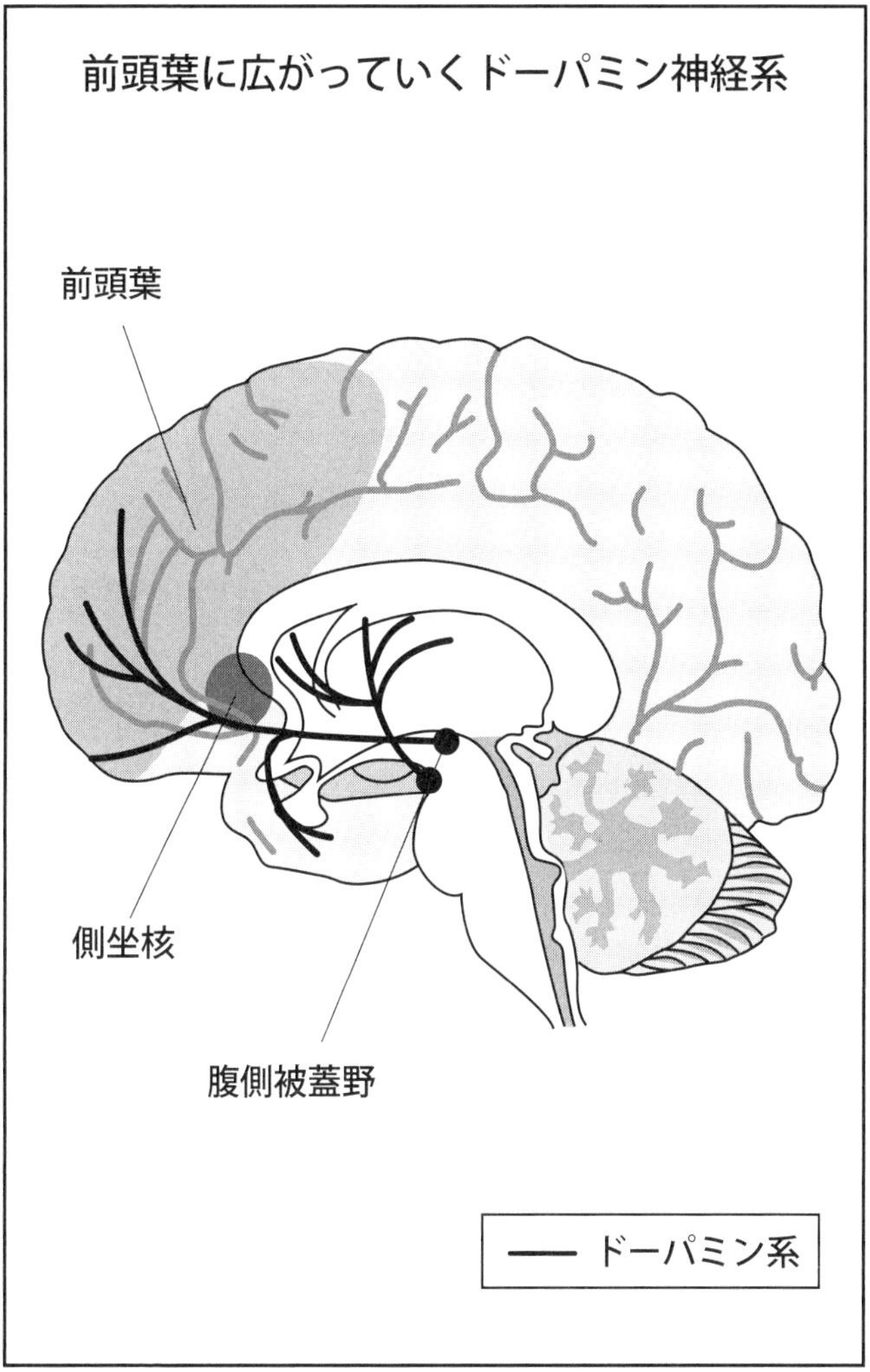
前頭葉に広がっていくドーパミン神経系
前頭葉
側坐核
腹側被蓋野
ドーパミン系

★レッスン❶
目をつぶってください。
ゆっくり息を吐きながら、さっきの脳の図を思い浮かべてみましょう。
それから、ドーパミン神経系が活動し、光るイメージを作ってください。

★レッスン❷
自分の頭を後ろ側から覗《のぞ》き込むイメージを作ってください。俯瞰《ふかん》的な視線です。
その頭の奥にあるドーパミン系をイメージしましょう。あなたのドーパミン系です。
そして、それが光るイメージを作ってください。

●エヴァとアスカとA10神経系

「A10神経系」と聞くと、エヴァンゲリオンに詳しい方なら、「エヴァとアスカはA10神経系でシンクロしていたっけ…」「A10神経系のシンクロ度が低いとエヴァが動かないんだよね」とか思い出されたことでしょう。

「操縦」といえば普通は、運動神経系と知覚神経系によるコントロールです。運動神経や感覚神経を使って、ロボットなどをセンシングし操作するというイメージが標準的でしょう。しかし、エヴァの操縦は運動系ではなく、快感系の融合で行うということになります。シンジの快感とエヴァの快感がシンクロし融合することで操縦が可能になるわけです。

ちょっと脱線してしまいましたが、この**ドーパミン神経系こそ「依存」「ハマり」の主役**です。

「たばこ」「酒」「大麻」「モルヒネ」「覚せい剤」「ギャンブル」「セックス」「DV（家庭内暴力）」「恋愛」…など、依存はその対象によって、**薬物など物質に依存する「物質依存」、ギャンブルなど行為に依存する「行為依存」、人との関係性に依存する「関係依存」**に区分することができます。

「薬物へのハマり」でも「行為へのハマり」でも「人間関係へのハマり」でも、このA10神経系の活動が先立ちます。そして側坐核を刺激するのです。

ですから、**脳を「ハメる」第一歩は、A10神経系を活性化させることです！**

そして、それを補助するのが、A10神経系が活性化するイメージをあなたが獲得することです。

●脳にとっての報酬を決める！

A10神経系は、思いもよらぬ金銭的な報酬を得たり、欲しいものを手に入れるとその活動を高めます。

また「快感」や「報酬」のみならず、「快感や報酬の予測」でもその活動を高めます。

何かを達成した達成感や、人に勝った優越感でも活動を増します。あるいは褒められても活動します。これらをひっくるめて「脳の報酬」といいます。

あなたの脳をわくわくどきどきさせる「脳の報酬」を具体化させておくことが大切です。

★レッスン3
あなたの脳を勉強にハメる「報酬」として、使えそうなものを探してみましょう（今あげられなくてもいいです）。
この本を読み終わるまでに、具体的に3つあげてみてください。

「報酬」は何でもいいのです。

何でもいいのですが**報酬を「設定してある」か「設定していない」かでは大きな違いが生まれます。**

何でもいいから報酬をイメージしておくと、報酬を得るための何かを始めやすくなります。やる気が生まれやすくなるからです。

あるいは「報酬」が結局は見つからなくても、報酬を探す意志がどこかにあることは役に立ちます。

最新の脳科学では、寝ている間に記憶が定着するとか、推論が進むらしいとか、技の定着が起こるらしいとか、**「無意識的な状態での脳の学習昂進《こう》」**が指摘されています。ですから、頭の隅に「報酬探し」が残っていれば、脳は「報酬探し」を続ける可能性があるのです。意識しなくても、寝ている間にも脳は探索を続けます。

そのきっかけをあなたの脳にあたえておくことは、知らないうちに「やる気」を高めることにつながっていきます。

ここでいう報酬は、たとえばお金や時計といった、金銭的、物質的なものだけではありません。褒められることも立派な報酬です。事実、褒められたとき、ドーパミン神経系の起始点、腹側被蓋野や側坐核が活性化されます。

「やったー」という自己達成感もそうです。注目を浴びることもそうです。危機を回避してもそうです。精神的な報酬は、みなりっぱな報酬です。

何が最上の報酬となるかは、その人その状況で様々です。それぞれの生物学的・遺伝的な気質が、どういう快を報酬としがちかを分けるとする考え方もあります。

いずれにしても**重要なのは、何かをするとき、ただするのではなく、その報酬を用意しておくことです。**報酬をあたえる基準になるような評価基準を準備しておくことです。その評価基準が報酬と結びつくようにしておくと、やる気の回路はフル回転しやすくなります。

●目標は評価可能な形に！

「がんばる」は、すばらしい目標です。
しかし、評価しにくい目標でもあります。

「がんばった」か「がんばらなかった」か、他人からもわからないですし、自分でも区別できません。

「賢くなる」。

これも立派な目標ですが、どうなったら「賢くなった」と認めていいのか困ります。他人が評価する場合にも困りますし、自分で評価するときにも困ります。

一方、「2ページやる」という目標なら楽に評価できます。

「2ページやった」のか「2ページやらなかった」のかは誰だってわかるからです。

「まず机を拭く」なら、拭いたのか、拭かなかったか、はっきりわかります。そうすれば、机を拭いたかどうかで報酬をあたえることができます。

具体的で評価可能な基準を設定すれば、「そこまでやった」というだけで達成感が得られます。それも報酬になりますし、別な報酬をあたえることもできやすくなります。

●依存せずに、ハマるためには？

食事をとった後に、過度の糖質を摂取すると側坐核が活性化します。おいしいスイーツをデザートとしてたっぷりとることは、側坐核で覚せい剤レベルのドーパミン分泌を促すのだそうです。ですから、食後のデザートを自分にとってのご褒美とすることは、くだらなそうでいて、実は脳を「ハメる」いい方法になります。

しかし、うまくハメやすいものほど依存しやすくなることを忘れてはいけません。ハマりやすい報酬ほど、強迫的で反復的な行動を引き起こしてしまう危険があります。**ドーパミン神経系の活動は「報酬」を超え、「渇望感」をも生み出してしまうか**らです。

何かが不足していると感じ、何かを欲する、それが「渇望感」です。**ギリギリの渇**

望感は、本気の勉強ハマりには必須ですが、渇望感が日常生活全般を覆《おお》ってしまうと、強迫的で反復的な行動が生じてしまいます。

本当の「依存」が生じ、日常生活が破綻します。

そうでなくとも、たとえばデザートのスイーツにハマりまくれば、肥満、メタボ、生活習慣病のリスクが上がります。認知症の危険度も増します。

様々な危険が、様々なハマりの向こうに待ち構えています。

では「依存」を避けつつ、うまく「ハマる」にはどうすればいいでしょうか？

そのためのポイントは、日常生活の満足感です。日常生活の中に、きちんと快感や満足感を見出しておくことが重要になります。

「ハマっている瞬間だけが、生きている実感がある」
「勉強だけが人生」
「○○しか興味がない」

そうならないように、日常生活を「生き生き」と感じ、生きる楽しさを感じることが大切です。その感覚を忘れては、どんなに高いパフォーマンスを獲得しても、社会的な破綻を生みかねません。

依存症とハマりを分けるもの。**その大きなメルクマール（指標）は、社会的に適応できているかどうかです。**ギャンブル依存症の診断基準のところで紹介したように、ハマりと依存を分ける大きなメルクマールは、社会的な破綻が起きているかどうかです。

★レッスン❹
あなたが、何があっても大事にしたい、日常的な「何か」を3つ書き出してください（具体的でも抽象的でも結構です）。

●「ほっとする」快感がキー

さて、ハマりをイメージするには、2つの快感を理解することが必要だとお話ししました。

その2つ目の快感は、

「ほっとする」「落ち着く」。

癒しや安心感をともなう鎮静的な快感です。

「依存」や「ハマり」には面白い現象がともなうことが知られています。

たとえばネズミに覚せい剤をあたえる実験をするとき、部屋の色を変えます。黒い部屋で覚せい剤を投与するグループと、白い部屋で投与するグループに分けます。

すると、黒い部屋で覚せい剤をあたえられた方は、その後、黒い部屋に行くと、妙にドーパミン系が活性化します。白い部屋では、その活動が小さくなります。逆に、白い部屋であたえられた方は、白い部屋で活性化しやすくなります。

場所への依存です。

ネズミの脳にあたえられているのは、覚せい剤だけではなく、その場の状況すべてだったのです。

ネズミのドーパミン神経系にとっては、直接的に作用する覚せい剤も、その部屋の色も、その部屋に置かれるまでの手順も、みな同じ入力です。あるいは、覚せい剤の作用によって、快と場との結びつきが強力になります。

だから、部屋の色や状況にハマりうるのです。

●場所にハマる

この、場所や状況への依存にも、ドーパミン神経系がかかわっています。場所や状況に応じて、ドーパミン神経系の活性が変わるのです。

同時に、このドーパミン神経系の活動を支えるメカニズムも働いてきます。ドーパミン神経系の刺激がやってくるまで「待てる状態」を生み出す仕組みです。

そこに行くと「ほっとする」。
そこで勉強を始めると「落ち着く」。
そこが自分の「居場所」だと思える。
そこだと「集中しやすい」。
ここだと「癒《いや》される」。

この状態作りが成功すると、脳の中では、セロトニン神経系が活動し、脳を安定させてくれます。

次々と興奮的な快感がやってこなくても、快感を待ち「ハマり」続けられるようになります。

逆に、この状態が作れないと、たとえば「次々と問題が解けてゆく快感が続く」とか、「とめどなく褒められ続ける」とか、きわめて稀有《けう》な状態が続かなければ、勉強にハマり続けることはできません。

場や状況に「ハマる」ことは極めて重要です。

★レッスン5
あなたが勉強をするとして、しやすい場所を3つあげてください。
そして、そこで集中して勉強している自分をイメージしてみましょう。

●快感を待てる心を作る

「わくわく」「どきどき」の快と、「落ち着く」「癒される」快、この組み合わせが大切です。この2つの快の支え合いが「ハマり」の奥底にあります。


たとえばジェットコースターを考えてみます。

人にもよるでしょうが、ジェットコースターのスリルで興奮がガーンと上がって、「快感だ！」。そういうことは、想像しやすいと思います。

ついでに、その後の心の動きを想像してみてください。

すると、「わくわく」「どきどき」の興奮の反動のように、「ほっとする」、気持ちが落ち着いていく、鎮静化していく様子が想像できるでしょう。


「危機回避の快」

「ほっとする」

「落ち着く」
「なんとなくボーっとする」
「頭が止まった感じ」
「軽く疲れた感じ」

興奮の後の鎮静感が満足感を生み、「待てる心」を作ります。

そして、遊園地に入ると軽い興奮とともに、「ああ、ここだ」と思える、なぜか落ち着く。

パチンコ店に入店するとき、仕事でデスクに座るとき、実は同じようなことが起こっています。起こっているからじっと待つことができるのです。

興奮の快感と、癒しの快感。この2つの組み合わせこそが、「ハマり」を支えるメカニズムです。反復を生む仕組みです。

●ハマりのコツ

1〜2章の話は、この「ハマり」のメカニズムを利用して、勉強にハマろうというものです。

そして、その**究極の理想像は、「勉強がすごく楽しい！」と興奮的に思えると同時に、「勉強しているとほっとして落ち着く」こと**です。

興奮と癒しの感覚の同居。その実現です。

この快感の同居のメカニズムをより実感的にイメージするために、「パチンコにハマっている人」の例を見ていきましょう。２つの快がどんなふうに組み合わさって、人は、「ハマっていく」のか。それを具体的に知り、イメージしてください。

パチンコなど無縁な方も、ぜひイメージしてみてください。ＤＶＤを見るように。

それができれば、みなさんの脳は、仕事や勉強にハマるコツのひとつを獲得したことになります。

誰かの様子を、実際見ているかのように具体的にイメージする。さらに自分がその人になりきっているかのようにイメージする。すると、脳の中でも、実際にその行動をしているときに起こる脳活動に近いものが現れます。運動野や体性感覚野などが活動します。

まさに練習。シミュレーション。

具体的なイメージを作ることが、即、ハマりのコツの獲得につながります。

●パチンコを例に快感の推移をイメージする

パチンコ人口は減少傾向にあるとはいえ千数百万人。20～30兆円産業といわれる巨大産業です。しかも、台の稼働状況や売り上げはホールコンピューターによってリアルタイムに把握され、それが全国的に共有できるようになっています。この情報に基づいて、稼働のいい機種には一気に注目が集まり、ダメな機種はあっという間に入れ替えられます。

つまり、パチンコ台の盛衰は、巨大な快感実験の結果でもあるのです。その中でシェアを占め続けるということは、その台は人の快感の構造をよく反映している、うまくすくいあげていることになります。

そこで、最近陰りが見えますが、ここ10年ほど巨大なシェアを占め続けてきた海物語シリーズを例にして考えたいと思います。海物語シリーズとは、三洋物産の海を舞台としたパチンコ機シリーズで、シンプルな演出が特徴で、人気が高いものです。最近はテレビCMも盛んに流されており、マリンちゃんなどのキャラクターや魚群予告などが特徴です。

それでは、海シリーズの大当たりまでの流れを、単純化して見ていきましょう。

①「リーチ！」

「おっ！」

「またハズレか…」

②「魚群！」

「お願い当たって！」

③大当たり！

「ほっ」

海シリーズ、最大の特徴は、②の「魚群」です。

リーチがかかると同時に、画面右側から小魚の大群が、画面左側に向かって、サーっと流れていきます。これが流れた場合、その信頼度（大当たりにつながる確率）は5割ほどになります。

つまり、「アツい」わけです。

それでは、この①～③の一連の流れの中で脳がどう働いているか、見ていきましょう。

●「リーチ！」脳

①「リーチ！」

このときには「ノルアドレナリン」という心拍数を上げる物質が出てきます。「ドキドキ」と緊張感が全身に伝わり、心拍数が上昇します。

身体では、アドレナリンの分泌が高まり、戦闘モードに近づきます。

たとえば、上司から頼まれていた仕事を忘れて同僚と無駄話をしていたときに、「頼んだ仕事はやったのか！」と怒鳴られ、ドキッとして体がギュッと縮こまるような感覚を体験したことがある方もいらっしゃるのではないでしょうか。

その瞬間、ハッと気づく。

こんなとき、ノルアドレナリンは脳にも体にも大量に分泌します。

ノルアドレナリンは注意の水準を上げる働きをして、脳を目覚めさせるものです。

また、戦闘モードのアドレナリンも分泌を高めるので、うっかりすると上司に刃向かってしまいます。そして、クビ、ということも起こりやすくなるわけです。

ドーパミンも放出されます。**大当たりに対する期待感（快感の予測）から、ドーパミンも放出され、「わくわく」してきます。**

しかし、リーチもはずれ慣れしてくると、「ドキッ」ともしなくなります。「わくわく」もしません。とくに今のパチンコ台は、期待できない（信頼度の低い）リーチがやたらに多く、しかも演出が異常に長くなっています。初めてならばいざ知らず、数度打って信頼度がわかってくると、期待できないリーチでは、「どきどき」も「わくわく」もしなくなってしまいます。

期待感が持て、かつ、新しい。そういう刺激が、「ハマり」のためには重要です。

●「魚群」の脳をイメージする

②「おっ、魚群だ！」

このとき、ノルアドレナリン、ドーパミンをはじめとする、様々な神経伝達物質が分泌を高めます。魚群が出ると当たりやすく、期待度が高いからです。

もちろん、「魚群」がなんなのかを知らない人では、「変なものが出たな」程度で、ノルドレナリンやドーパミンなどが分泌を高めることはありません。しかし、魚群の「アツさ」を知る人なら、脳がジワっとしてくる感じが起きます。

パチンコ雑誌などでは、「脳汁ドバッ」などと表現されることもあります。

また、海シリーズを打ち慣れている人なら、それが出現したことで、「ドキッ」「わくわく」「どきどき」だけではなく、「ほっとする」「よかった」と思う感覚も混在してきます。

このとき、多幸感のほか、鎮痛効果にもかかわる、内因性麻薬様物質、エンドルフィンが分泌を増します。

「ほっとする」「落ち着く」「癒される」快感の主役のひとつです。

このエンドルフィンは、ガンの痛みのコントロールに使われるモルヒネによく似た物質です。αエンドルフィン、βエンドルフィン、ダイノファリンなど多種あります。かつて私たちがパチンコ実験で調べたのはβエンドルフィンでした。

エンドルフィン類は「脳内麻薬」とも呼ばれ、何かコワい物質のように感じますが、人にとっては必要な物質です。ストレス物質と並行して作られ、ストレスや痛みを緩和してくれます。

そのおかげでマラソンのように長い距離が走れたり、ストレスがあっても何とか耐えられたり、それどころか、ストレスのさなかに喜びや幸せを感じることすらできるのです。

場合によっては、痛み好き、苦痛フェチにすらなれます。ドMになるには必須の物質です。

いずれにしても、エンドルフィン類がないと、人は「心と体のストレスに耐える」ことができません。**「ぐっ」と我慢して仕事をやり抜くことも、長く走ることも、勉強することもできません。**ちなみに、出産するときのエンドルフィン類の分泌は並ではありません。

麻薬と違って、もともと体内で生産されるものですから依存性は低く、分泌が増しても30分もすれば元に戻ります。だからこそ、こまめな快感の提供が「ハマる」上では重要になってきます。

パチンコでいえば、30分以内に何かが起こる。分泌が引き戻される前に、連チャンなどによって次々に刺激を入れること、一気に分泌を高めることなどが、ハマりを生むコツになってくるわけです。

★レッスン6
今、とり組んでいる勉強に「期待感」と「新しさ」を込めるのに役立つ工夫を、3つあげましょう。
思いつかなくても結構です。頭の隅っこに置いておいてください。

●快の30分イベントを考える

③「やったー！」

ここでは、ドーパミンが一気に分泌を増します。報酬に対する反応です。同時に、当たらないストレスから解放されて、エンドルフィンも分泌を増します。興奮と癒され感が混在します。

特にドーパミンは大当たり後も高い分泌が続き、次の当たりに対する「渇望」を生み出します。「もっと!もっと!」というわけです。

★レッスン7
難問です。30分でストレスと快感イベントが生じるように、1時間の勉強の計画を設計してみましょう。「覚えるストレス」と、「できた快」の組み合わせを意識しましょう。

●定番動作で脳をハメる

ドーパミンが結びついて快感を生み出すことに、側坐核という神経核が深くかかわります。ここにA10系がアクセスします。そして、この側坐核は「線条体」の腹側(下側)に位置します。

繰り返しになりますが、線条体は、たとえば自転車が乗れるようになったとき、跳び箱ができるようになったときなどに、その無意識的な運動プログラムが蓄えられる場所です。卵をそっと割れないようにつかむ、そういう微細な運動コントロールにもかかわります。

この線条体で、無意識的な行動と「快感」が結びつけられる。これこそが、「やる気」の正体です。実際、簡単なゲーム時の「やる気の度合い」と「線条体の活動」が相関するという報告もあります。

なんとなくそうするのが「いい感じ」。
よくわからないが、そうしようと思う。

無意識的な行動と快感の結びつきこそ、「やる気」なのです！

その回路が、線条体を中心とするシステムです。

★レッスン８
今までの自分を振り返って、「やる気」と結びつきやすそうな「行動」を書き

出してみましょう。

ある番組で、元プロレスラーで議員さんでもあった大仁田厚さんが、新方式のダイエットを考案したので、それを脳的に解説してくれと依頼されたことがありました。

彼のダイエット法の特徴のひとつは、「お肉と語らうこと」でした。

おなかとか、首回りとか、二の腕とか、気になる部位をつかみ、なでたり揺さぶったりします。

そして、「かわいい肉よ」「プルプルだなあ」「ちょっと小さくなったか?」「もうちょっと減ってくれ」「でも好きだぞ」などと語り合うのだそうです。否定的な言葉ばかりではなく、肉に触るという動作をしながら、とにかく語らうのだそうです。

一見、くだらなそうに見えます。しかし、この話を聞いたとき、わたしはちょっと震撼《しんかん》しました。

ダイエットの実現には、食事に注意することによって「入りのカロリーを減らすこと」と、運動によって「消費カロリーを増やすこと」と、さらに筋量増加によって「基礎代謝を増すこと」が必須なのはいうまでもありません。

最終的には、これらの実現なくして魔法のようにダイエットが実現することはありません。

しかし、それが続かない…。

だから、「運動しろ」「食事に気をつけろ」といい続けるほかない。たしかにその通りなのですが、**そうはいっても続かないのだから、違う方法でモチベーションを維持する「方法」を考えた方がいい**ともいえます。

大仁田さんの「肉との語らい」は、少なくともそのモチベーションの維持に貢献する可能性があります。つい、「肉」の存在を忘れがちだからこそ、最初のやる気が維持できない。だから肉の存在を忘れないようにしよう、というのは正当です。

また、「触りながら」とか、「なでたりつまんだりしながら」とかの、「動作をしながら」というのが実にすばらしい。これによって、**動作と快・不快が結びつきやすくなります**。やせたらやせたで明確な触覚的報酬も得られます。線条体での連結です。

★レッスン9
あなたの「やる気」と結びつきやすそうな「行動」「動作」を書き出してください。

●やる気はバランス！

有名なネズミの実験です。

スイッチを部屋の左右に用意します。そして、一方を押すと中脳《ちゅうのう》前脳束《ぜんのうそく》（ドーパミン神経系）が刺激されるようにしておきます。続けて押しても刺激されない、逆側のスイッチを押せば刺激されるようにします。

すると、ネズミはスイッチを交互に押し続け、部屋の左右をせわしなくいき来します。場合によっては死ぬまでスイッチを押し続けます。

だから、**「やる気の回路」は「恐ろしい回路」でもあります。**ここが過剰に活動してしまうから、薬物や様々な行為に対して渇望が生じ、ついには社会的不適応にいたるのです。

しかし、**社会的な破綻をともなわない「やる気」なら何ら危険はありません。**むしろ、世の中から推奨され、「やる気のある人だなあ」と褒められたりもします。褒められると、またまた、ドーパミン神経系が活発に働いて、ますますやる気が高まっていきます。

この本では、依存やハマりから、「やる気の回路」の振る舞いを学びます。そして、社会的に認められ、褒められるようなことで、その回路をバリバリ全開させよう。それがねらいです。

●常連は2倍気持ちいい〜

ところで、この快感にかかわる物質、「エンドルフィン」や「ドーパミン」は、パチンコの場合、常連さんの方がたくさん出ます。

私たちはパチンコ屋の通常営業時間中に、パチンコ好きの人に集まってもらって、自腹でパチンコをしてもらいました。そして、パチンコ店入店前、入店後、台に座った安静時、大当たり時、大当たり30分後と、定期的に血液を採取させてもらいました。

その結果、週20時間以上パチンコをするパチンカーは、そうでないパチンカーよりも多くのエンドルフィンやドーパミンが出ていました。大当たり時のエンドルフィンでは約2倍。大当たり後、30分でのドーパミンでは約3倍でした。

常連さんの方が、大当たりで「ほっとする」度合いが高く、「さあ次だ」と思う度合いも高いということなのかもしれません。

パチンコ屋さんでは、パチンコ台から様々な音が出ています。実験当時は、「ジャンジャンバリバリ、がんばってお出しください!おとりくださいませ！」なんて煽《あお》りのアナウンスもガンガン流していました。

ですから、「パチンカーはパチンコを打ちながら、ずっと興奮している」「大当たりなんかすれば興奮のピークだろう」とパチンコをしない人は想像するでしょう。

しかし、頻繁にパチンコ屋さんに通っている常連さんは、確かに**「大当たりで興奮」していますが、実はその半面「ほっとしている」**のです。「なごんでいたり、癒されている」のです。

だからこそ、パチンコにハマって常連さんになっているのです。**興奮だけでは長続きしません。**

●「癒し」と「ストレス」と「記憶」

「ほっとする」快感物質のエンドルフィンは、ストレス物質と並行して出てきます。

また、ストレスはノルアドレナリン系の活動を促し、その後、ノルアドレナリン系の活動を抑えるようにセロトニン系の活動を高めます。

ウォーキングやジョギングなどの、適度なストレスが走行中の爽快感や幸せな感じをともなうのはこれらの物質のおかげです。運動後の心地よい疲労感もセロトニンの活動がかかわります。

パチンコでリーチも来ない、当たりも来ない、財布のお金だけが減っていくという状態はストレスです。やたらに長く、しかし、はずれ続けるリーチの連続は、ストレス以外の何ものでもありません。

しかし、**その分ストレスが大きくなって、エンドルフィンやセロトニンの放出を促すきっかけになります。**

一方で「魚群」のような大当たりとの結びつきが強い予告刺激が来ると、ここでもエンドルフィンが大量に放出されます。そして、ドーパミンの分泌に結びつき、またドーパミンの作用を補助します。

この大当たりの連想には、経験や記憶（主に情動記憶）が関係してきます。常連は、「魚群→大当たり」が高確率であることを体験的、無意識的、あるいは理論的にも知っています。ですから、**魚群を見ると当たりの快感を連想しやすく「ほっとする」「超気持ちいい」という感覚が生じるのです。**

当たってもいないのに、「妙にほっとしていて、気持ちいい」という快感状態ができます。

この無意識の連想は、経験を重ねるにつれて、「場所がもたらす癒し」まで生み出します。

実際、常連さんは、パチンコ店に入ったときから、すでにエンドルフィンやセロトニンが普通のパチンカーより血中に多く出ています。常連さんは、パチンコ屋に入ったというだけで、普通の人より、ほっとして落ち着き、癒されるのです。

ここそが「居場所」と思えているのです。

★レッスン10
昨日、もしくは直近の勉強的な場面を思い出してください。
そこでストレスと快感が繰り返されるさまを思い描いてください。
そして、こういってみましょう。
「うん、結構、楽しい」

●ハマりの裏側にストレスあり！

常連さんのエンドルフィン分泌の高さなどを知ると、「パチンコ屋に入るだけで気持ちいいなんてうらやましい」と思うかもしれません。

しかし、その心地よさが日常生活をストレス化していく側面もあります。

私たちは、ストレスを測る指標のひとつ「コルチゾール量」を調べました。その結果、常連さんはパチンコ店に入ることで、確かにコルチゾール量の低下がありました。

しかし、残念ながら、「普段の生活」のコルチゾール量が常連さんでない人たちより多かったのです。

つまり、常連さんは日常生活がストレスとなりがち。
だから、常連さんはパチンコで癒されているといっても、とりたてて幸福なわけではないのです。日常生活で駆り立てられ、渇望を抱えパチンコ店で人並みのストレスに戻るのです。

「ギャンブルにハマる」「ネットにハマる」「仕事にハマって他のことがおろそかになる」「フーゾクにハマる」。

ストレスによって、「癒し」の快感が増幅され、人は何かにハマっていくのです。
脳のシステムから見れば、現代の「強いストレス社会」が癒しにハマる人々を生み出すのは、当然のことだといえるのかもしれません。

逆に、**勉強にハマりたいなら、日常をストレス化することです。勉強をしていない状態がストレスであると暗示することです。**
もちろん、日常生活が日常生活として破綻してしまうまでのストレス化はいただけません。しかし、**「していない自分」に嫌気のレッテルを張り、「立ち上がって机に向かう自分」にプラスのレッテルを張ることは重要**です。

ポイントは、長々と嫌気のレッテルを張らないこと。すぐに切り替えることです。

そうでないと日常全体がストレス化し、それこそ真の依存、ワーカホリックとか、勉学依存が生じてしまいます。

★レッスン11
机など勉強をする場所に向かう自分をイメージしてください。
そして、こういってください。
「おっ、やるな！」

● 常連ほど脳が鎮静化していた！

パチンコをしている人の脳は、がんがん興奮していると思われがちです。しかし、実際に脳活動を調べてみるとむしろ鎮静化しています。

みなさんもテレビなどで脳が赤くなったり、青くなったりする画像を見たことがあると思います。

あの機械（多チャンネルＮＩＲＳ）で調べると、常連ほど、また、いい台、長い人気を誇る台ほど、打ち始めると速やかに、特に前頭葉が鎮静化していきます。

だからこそ、打ち始めると、あっという間に時間が過ぎ去っていくのです。そしてその鎮静化があるからこそ、リーチや魚群や大当たりでの興奮が際立つのです。

特にドーパミン系は差に対して反応しますから、ベースラインが鎮静化していれば、その分、快感がより強く感じ取られ、印象づけられていくのです。

つまり、単に「ドキドキしている」「わくわくする」と感じるだけではなく、それをしていると「ほっとする」「落ち着く」「それがないと変な感じがする」。鎮静化の状態をいかに実現するかが、「ハマる」上で重要なのです。

そうすると、次の快をじっと待つことができ、また興奮的な快が際立つのです。

★レッスン12

勉強にハマっている自分を想像してください。

そして、こういってください。

「落ち着くなあ」

第3章

儀式を作る！ 脳科学とカウンセリング技法に基づいた「正しい集中法」

人は三日坊主です。
そう長く集中が続かないのは当たり前です。
それでも「あなたが集中できた」ときがきっとあります。
そのときの環境や手順を思い出してください。
つまり、あなたの集中の「儀式」を作るのです。

●三日坊主はしかたがない！

「なぜ、私は勉強が続かないんだろう…」
「なぜわたしは、三日坊主ばかりなんだろう…」
「もっと集中できればいいのに…」

そう思っている人は多いでしょう。

集中しようと思えば集中できて、いつまでも続く。そうだったらどんなにいいだろう。わたしもそう思います。

しかし、人間はもともと三日坊主です。

時間生物学をやっている人たちによれば、人には様々な生理学的な周期があるそうです。

たとえば週の周期、月曜日はそれほどテンションが高くなく、徐々に週末に向けて高まり、金曜日がピーク。土日は、ガンガン遊ぶ人ではさらにピークが続くが、たいていの人は落ちていく。

こんな風に週内のリズムがあり、それを支えるホルモンの変化などもあるそうです。私も以前、ある大手企業の社員を対象にコルチゾールというストレス関連物質を尿で調べたことがあります。そのときの結果では、週の前半は高く、週末に向かって低下していきました。休みの間は二極化していました。週末に向けて元気になっていく点では、同じ結果です。私たちの気分には、生理学的な背景があるのです。

頑張ろうと思う気持ちにもリズムがあります。曜日によって気合いが入りやすいことがある一方で、やり始めようと思ったときがピークで徐々に低下していきます。たとえば、やる気に関係するドーパミンの分泌も初日は高く、徐々に低下して3・5日くらいでボトムになるのだそうです。

また、**わたしたちは同じことを繰り返すと慣れてきます。**馴化《じゅんか》などと呼びますが、たとえば冷たい水に手を突っ込む場合、回が重なるにつれ冷たさを感じにくくなりますね。

脳関連物質の血中分泌で見ると、その分泌が落ち着いてきます。たとえばドーパミンの分泌が初回は高くとも、2回目、3回目と低くなってしまうのです。だいたい3回目では落ち着いてくるので、その点からも人は三日坊主になります。

「よしやるぞ」と、問題集をスタートさせても、3日目、もしくは、3回目には、どうやっても初回の「やる気」はうせてしまうわけです。

「人は三日坊主」。やる気や集中力の維持を考える上では、これが基本です。

●三日坊主対処法

ではどうすればいいのか？

まず確認しておきたいことは、**三日坊主は決してダメではないということ**です。

たとえば、三日坊主であっても、1日目は始めています。場合によっては、2日ないし3日は続いています。

これは素晴らしく価値あることです。三日坊主も捨てたものではありません。

たとえ三日坊主で終わったにしても、まったく何もしないのとでは雲泥の差です。

1日で終わらず、2日続いたならなおさらです。1日で飽きたって不思議はないのに、2日「も」続いたのですから。これは驚きです。

驚かなくてはいけません。

少なくとも、1日で終わらず、2日続いた要因だけは振り返っておきましょう。3日も続いたならとてつもない出来事です。ぜひ、その理由を考えておきましょう。

あなたの「根性がすごい！」ということなのかもしれません。

「好きな人に何かいわれたから」という、きっかけがあったのかもしれません。

「ひと眠りが効いた」ということなのかもしれません。

何にしても、

「始めなくてもいいのに、始められた。そのことを後押ししたことは何だったのか？」

「1日でやめず、2日続いたのに役立ったことは何か？」

「3日も続いたのは、どうしてか？」

このことだけは振り返っておきましょう。

その振り返りが、次の「三日坊主」のスタートを早めるコツになります。

答えが見つからなくてもいいのです。**「よいことが始まった原因」を探ろうとすれば、脳の中で探索が続きます。**「始められた理由」探しが続き、それが、やる気の回路を回します。

★レッスン⑬
直近で、三日坊主で終わったことを思い出してください。
そのことを始められたのはなぜですか?
始めるために役立ったと思うことを、無理にでも3つあげてください。

三日坊主は三日坊主でしかたないので、仕切りなおして、また始める。4日目に始めてもいい。1日休んで、5日目に始めてもいい。もっともっと後で始めてもいい。とにかく三日坊主を一度きりにしないことです。

三日坊主も5回重なれば15日、10回始められれば30日です。

やらないのとでは雲泥の差です。三日坊主というのは、ダメなことではなく、実はあなたの重大なリソースなのです。

3日はできるのなら、スタート回数を増やせばいいのです。ダイエットで始めた運動が三日坊主でも、年50回始めてみましょう。150日運動したのとしないのでは大きな差です。

英会話だって同じです。資格試験の勉強だって、受験勉強だって同じです。

始めることが大切なのです。

始めるという身体的な出来事が起こると、やる気にも変化が現れます。作業性興奮などともいいますが、始めてしまうと、線条体が活動を始めて、勝手にやる気がわいてくることも多々あるのです。

身体を動かすこと、始めることがまず大切です。

そしてあなたはすでに、始めた体験を持っているのです。

その体験を持っていることが、あなたの財産になります。次に何かを始める上での、重要なリソースになります。

●集中に入る「儀式」を作る

ここで、あらためて重要になってくるのが、始めるときの儀式です。それも単に気持ちの上の儀式ではなく、動作をともなうもの。

すでにお話ししたように、「やる気の回路」は無意識的な動作の回路とかぶっています。その分、体を動かすことが、「やる気」を生み出す上で役立ちます。

やる気を維持する上でも、大きな役割を果たします。

高見盛の塩まき、体をたたく動作。

イチローがバッターボックスに入るまでの手順、入った後の所作。

ゴルフのアドレス。

昔なら、勉強前の正座。

勝負服…。

周りを見回すと、みなさまざまな「入りの儀式」を持っています。

★レッスン14
難問です。

直近で、もっとも集中できたときを思い出してください。

集中していった様子、そのときにしたこと、そのときの環境を、ＤＶＤを見るように具体的に思い出してください。

●人はいきなり始められない

勉強アタマになるためにも、「入りの儀式」が役に立ちます。

勉強の始め方をパターン化しておくと、始めやすくなるのです。

勉強の始め方に慣れが生じ、脳が鎮静化しやすくなります。勉強を始めることに、「癒しの快」を込められるのです。

その上で、始めたことによる作業性の興奮が生じ、楽にやる気が維持できます。

「机の上を拭く」
「片づけをする」
「今日の勉強の流れを紙に書く、読み上げる」
「百マス計算をする」
「単語を読み上げる」
「計算問題から始める」
「これから覚えることを、まず書き出す」

何でもいいのです。

人は、いきなり始めるということが苦手です。

とくに勉強などという、不自然極まりないことを始めるのは苦手です。そんなことを始めやすいようにはできていません。

だからその分、勉強アタマにはめ込んでいくテクニックが必要になります。

●入りの「儀式」は癒しの儀式

「入りの儀式」としてある行為がパターン化すれば、その行為で脳は鎮静化しやすくなります。

一見、**脳を活性化させそうな行為でも、儀式化すれば癒しの行為になるのです。**

「右手で鼻をつまんでください」
「左手で右耳をつまみます」
「目の前で拍手して、左右を入れ替えます」
「次は二拍たたいて入れ替えます」
「一拍、二拍、三拍…と手をたたく回数を増やしていきます」

鼻耳チェンジとわたしたちが呼んでいる脳トレです。

やっていただければすぐにわかりますが、鼻をつかまず手がクロスしたり、手の動かし方が一瞬わからなくなったりします。なかなか自動的にはできません。

そうすると、前頭葉がお助けマンとしてしゃしゃり出て脳が活性化します。

これを1分間続けたときの脳活動が写真（97ページ）の右2列です。右が右脳、左が左脳。1分続けては20秒休み、それを5回繰り返しています。

上段から1回目、2回目…。光脳機能イメージング装置で調べたものです。上側が前頭葉側、右脳では右側が、左脳では左側が耳側になります。

確かに最初の方では脳は活性化しています。

しかし、**回を重ねるにつれ脳活動、とりわけ前頭葉は鎮静化していく**のがわかります。

左2列は百マス計算をしたときの脳活動です。

こちらも1分続けては20秒休むのを5回です。5回目ともなれば脳は鎮静化していきます。

どんなにややこしい脳トレでも慣れが生じます。**脳は、実に速やかに必要な部位の活動だけで済むように自動化を進めていきます。**省エネ化していくのです。

鼻と耳をつまむゲームの脳活動（右２列）と百マス計算の脳活動（左２列）

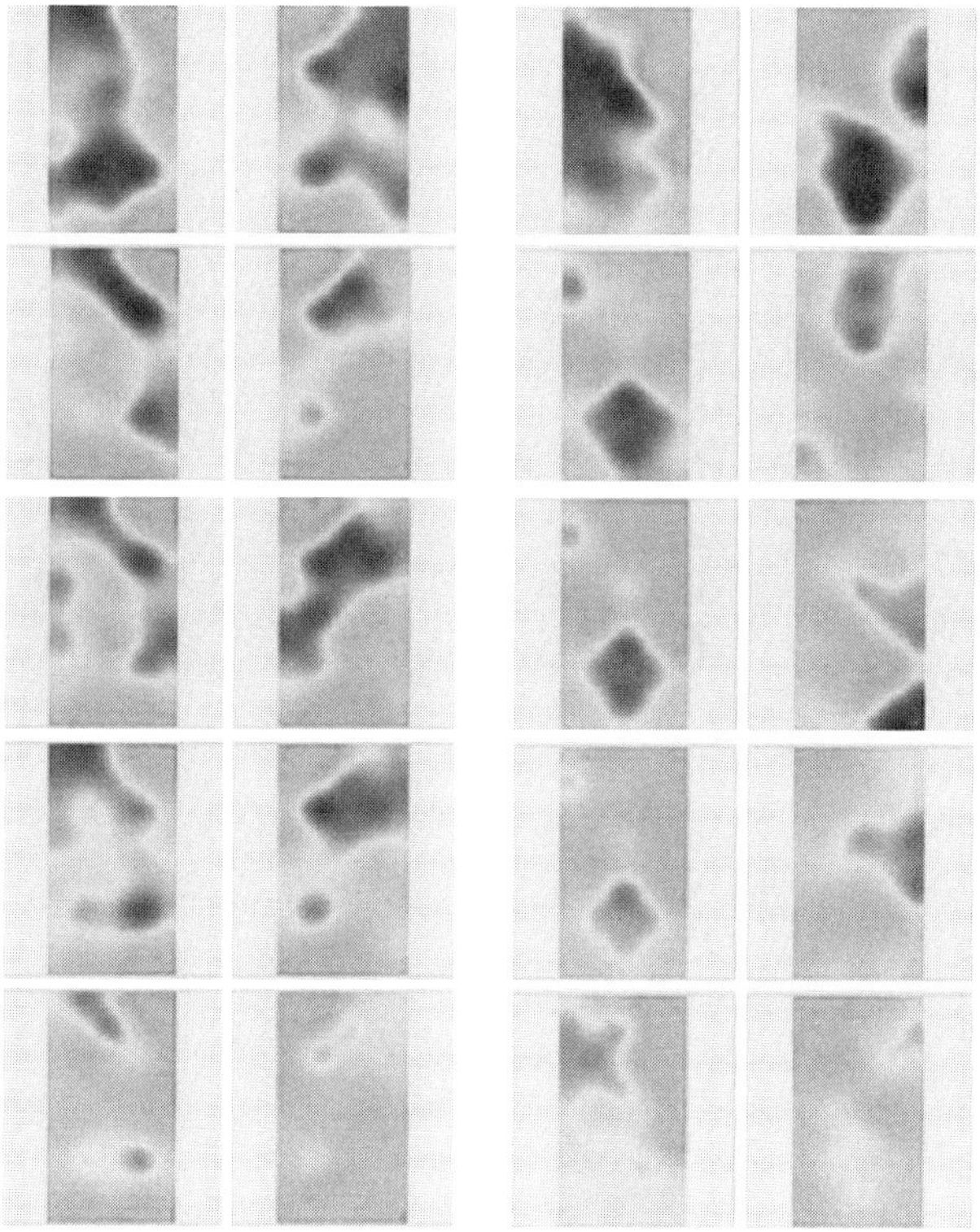

そしてパフォーマンスが上がっていくわけですが、その分、前頭葉は鎮静化していきます。

このとき、線条体の活動が高まります。スムーズにできるようになってくると何だか気持ちがいいのは、線条体の腹側、快感の中枢・側坐核でのドーパミン放出が増すからです。

手慣れた行為を繰り返せば、前頭葉は鎮静化して癒され、「待てる」状態が作られます。その一方で、線条体のスイッチが入り、「やる気の回路」が回り始めるのです。**だからこそ、パターン化して手慣れた、動作をともなう「入りの儀式を作ること」が大切**なのです。

● 入りの「儀式」には心を込める

こんな実験もあります。

「いつものようにキャベツを刻むとき」の脳活動と、「心を込めてキャベツを刻んでいるとき」の脳活動を調べた実験です。

写真（100ページ）は、「いつものようにキャベツを刻むとき」の脳活動と、「心を込めてキャベツを刻んでいるとき」の脳活動です。

上2枚が、いつものようにキャベツを刻んでいるときの右脳、左脳。下2枚が心を込めてキャベツを刻んでいるときの右脳、左脳です。

ご覧のように**「心を込めた」方が前頭葉は活性化します。**

これはキャベツを刻むときばかりの話ではありません。

机の上を拭くときでも、心を込めた方が活性化します。掃除機をかけるときでも、気持ちを込めた方が活性化します。筋トレでもそうです。計算課題でも同じです。

みなさんも小さいころに、おじいさんおばあさん、先生から、「何をするにも心を込めてやりなさい」といわれたことがあると思います。

そんなとき、「心なんて込めても込めなくても同じさ。同じことをするんだから」と思った方もいるでしょう。

しかし、**脳では、気持ちを込めるかどうか、心を込めるかどうかで、その脳活動、とりわけ前頭前野の活動が違うのです。**昔からいい継がれてきたことには、それなり

キャベツを刻むときの脳活動

（いつものようにキャベツを刻むとき）

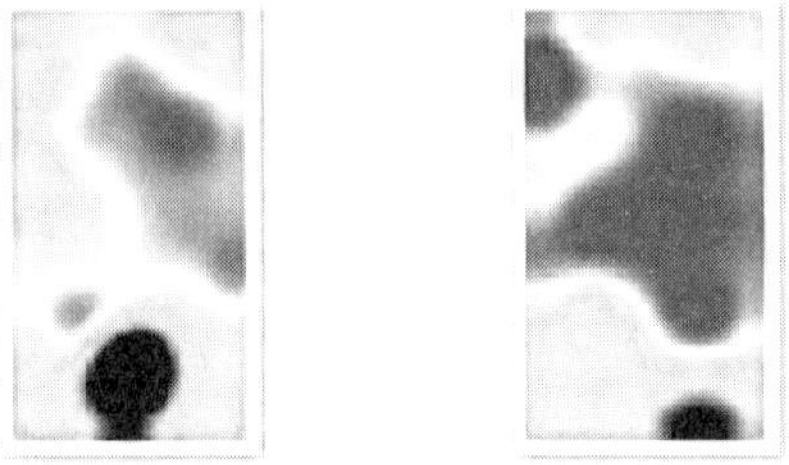

（心を込めてキャベツを刻んだとき）

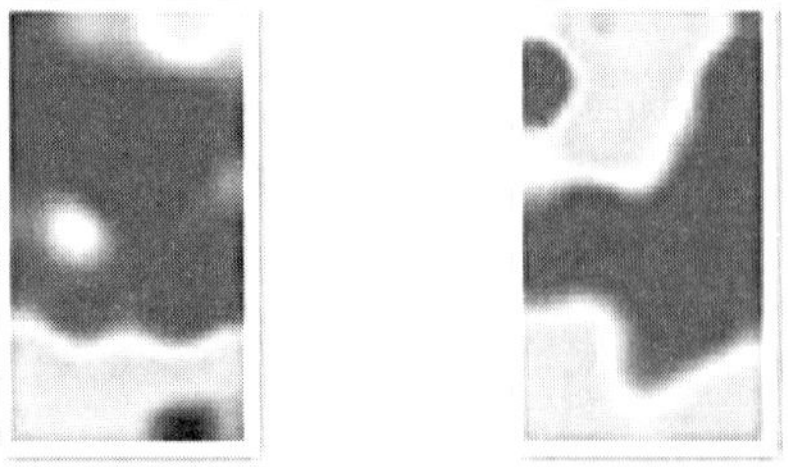

の脳的意味があるのです。

ちょっと脱線しましたが、**何かを繰り返してやるとき、最初に心を込めた方が強く活性化され、また鎮静化も速やかに起こります。**

適当にやっていたのでは、なかなか慣れませんし、脳が自動化を進めてはくれません。

ですから、**「入りの儀式」の最初は、「心を込めて」**行うべきです。

それが速やかな癒しを生み、待てる心の準備を早めます。

★レッスン15

「右手で鼻をつまんでください」「左手で右耳をつまみます」

「目の前で拍手して、左右を入れ替えます」

「次は二拍たたいて入れ替えます」

「一拍、二拍、三拍…と手をたたく回数を増やしていきます」

時計を準備して、これを1分間続けてください。20秒休んでまた続けます。5セット行って、慣れていく自分を実体験してください。

●「言葉の力」を使う集中法

「机を拭く」「鼻耳チェンジ」「百マス計算」…、そうした連続的な行為で、自分を「待てる」状態にし、集中していくのはいい方法です。

古い脳である大脳基底核の線条体は、脊椎動物ならほぼ持っています。いつもの手慣れた動作でパワーアップしていくのは、脊椎動物一般にも共通する根源的な方法です。

一方で、わたしたち人間には、特異的に発達した言語野があります。

「言葉の力を使う集中」の道は、われわれ人類にだけあたえられた方法です。

「言葉」は、世界を区分けする力を持っています。「言分け（ことわけ）」です。

たとえば色で考えてみましょう。

わたしたちは「7色の虹」といういい方をしますが、アメリカやフランスでは6色、ドイツでは5色です。砂漠の民族の言語には、砂の色を示す言葉がたくさんあります。わたしたち日本人は緑色の区分を、たとえば萌黄《もえぎ》色、浅黄《あさぎ》色、鶯《うぐいす》色などと、他国と比べてたくさん持っています。

色の種類をたくさん持つと、色を区分けできます。区分けできると、差が作れます。

感情語もそうです。

たとえば「キレる」「だるい」「ムカつく」。

あまりいい言葉とはいえないのかもしれませんが、こういう言葉で表現することで、私たちの胸のうちのモヤモヤが表出されます。同時に、キレた状態、だるい状態、ムカつく状態を見つけやすくなります。

見つけるとその感情が増幅することもありますが、その感情を客観視できて操作可能にもなるのです。

言葉はそうやって生み出され、利用されていきます。

●言葉が感覚につながった！

言葉を使って自分の状態を操作する方法としては、「公式言語」を用いる自律訓練法が知られています。

自律訓練法は、ドイツのシュルツによってリラクゼーション技法として開発されました。日本では筑波大学や九州大学などで心身症の治療法のひとつとして研究され、血圧低下効果や気分改善効果などが報告されています。

座った状態かもしくは仰向けで目を閉じ呼吸を落ち着けながら、「気持ちが落ち着いてくる…」と頭の中でゆっくりと繰り返します。

そして、「右手が重たい」「左手が重たい」「右手が温かい」「左手が冷たい」などの一定の言葉（公式言語といいます）を繰り返します。

順序だてて訓練すると、ほぼ誰でも、手が温かく感じたり、重く感じるようになります。温かさが感じられるようになったとき、サーモグラフィーで見てみると実際に赤くなります。体温が上がるのです。

こんな研究もあります。

実験の参加者が実験室に案内される途中、女性アシスタントから自分のカップを持っていてほしいと頼まれます。カップの中身はホットコーヒー、もしくはアイスコーヒーです。

実験室では、ある人物に関する文章を読んで、その人の性格を評価します。すると、実験前にホットコーヒー入りのカップを渡された人は、相手の性格を「寛大である」「優しい」「思いやりがある」などとより温かいものと評価していました。アイスコーヒーを渡されていた人は、相手を冷たい人と評価しがちでした。

また別の実験では、ショッピングのとき温かい治療パッドを持たせると自分用ではなく友達用のプレゼントを選ぶ確率が高くなりました。逆に冷たいパッドを持たせると、自分用のギフトを選ぶ確率が高くなりました。

興味深いのは、人間関係における温かさ（信頼）と身体が感じる温度の両方の情報処理に、脳の「島《とう》」が関与していることが示されたことです。

「あの人は温かい人だ」という表現は、脳では比喩《ひゆ》でも何でもなく、本当に「温かい」わけです。

●桑田投手も使った暗示テクニック

脳は「あなたが使った言葉」に応じて心身の状態を変化させてくれます。

100パーセントそうなるとはいい切れませんが、**言葉の力、言葉による暗示の力は無視できません。**

たとえば、オリンピックなどトップ競技会に出場する選手には、高い集中力が要求されます。そのような選手の中には「儀式」はもちろん、「暗示語」を使って集中を高める人がしばしばいます。

もう知らない人も多いかもしれませんが、オリンピック体操の金メダリストの具志堅選手は演技前に何かぶつぶつとつぶやいていました。元巨人軍の桑田選手も投げる前にボールに向かって何かをつぶやいていました。ちょっと脱線気味ではありますが、レスリングの浜口親子の「気合だ！気合だ！気合だ！」も一種の暗示語です。

強烈な動作がともなう分、やる気を生み出しやすい暗示語といえるのかもしれません。

★レッスン16 あなたにとっての暗示語を決めましょう。集中するときのおまじないになります。

暗示語を使う場合、ポイントになるのは、「そうなろうとしないこと」です。

たとえば自律訓練法では、腕を重くしようとか、手のひらを温かくしようとか、意識的にそうしようとするとうまくいきません。

ただ頭に言葉を浮かべ、ただ繰り返します。その受動性が暗示の成功率を高めるのです。

注意や集中には、能動的なものと受動的なものがあります。

たとえば、次の間違い探し（108・109ページ）をしてください。

間違い探し（図１）

間違い探し（図2）

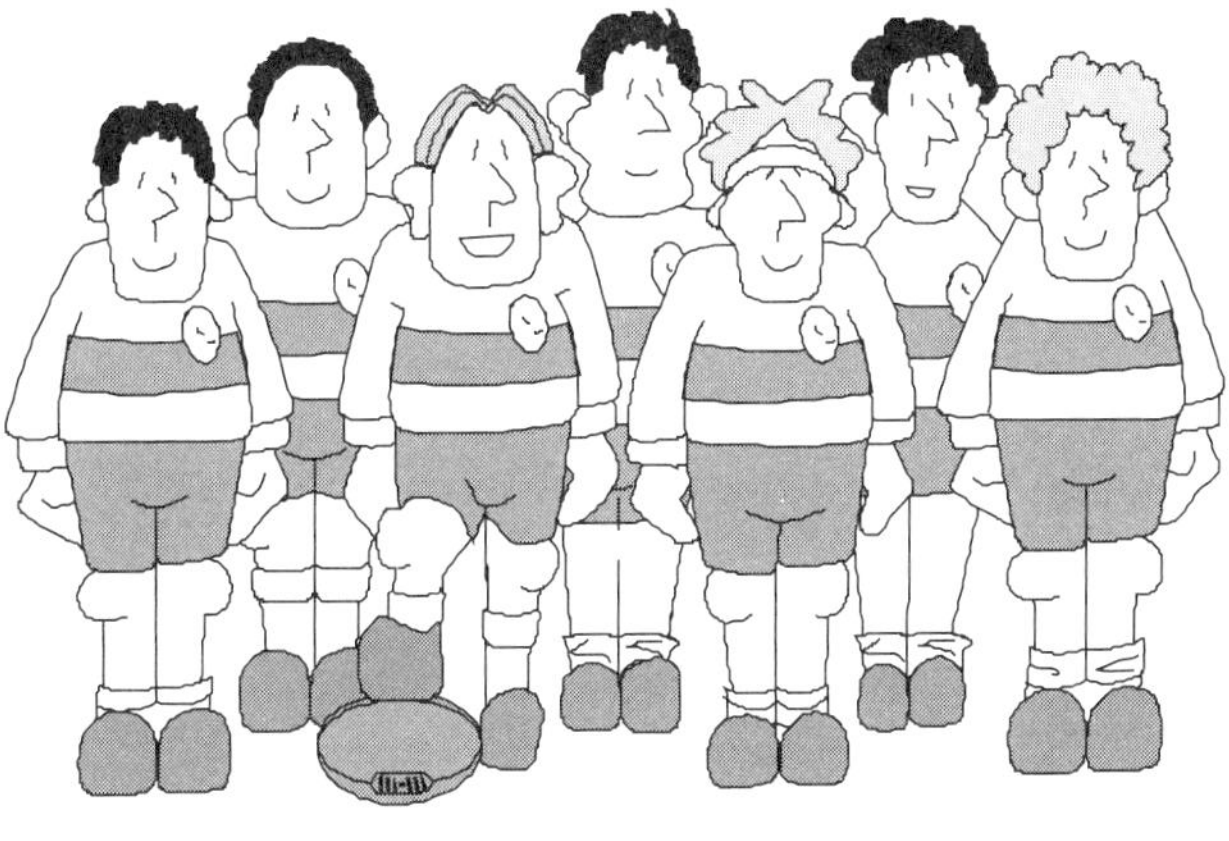

間違い探しには方略があります。

ひとつは、図1を適当に分割などして、その部分部分をしっかり覚えて図2と見比べる方法です。

もうひとつは、図1全体を「受け入れるように」眺めて、図2を見たときの「違和感」で間違いを探していく方法です。

前者では、のめり込むように注意を払い、集中していくことになります。これを、能動的な注意、能動的な集中といいます。このときの脳活動を調べると、相対的に脳の前側、前頭葉が活性化します。

後者は受動的な注意です。たとえばシューティングゲームをするときに、ターゲットばかりに集中してしまうとうまくいきません。ターゲットに集中しつつも、全体の動きがなんとなく把握できていないと、とっさの対応にしくじります。

こんな風に、一生懸命に集中するのではなく、受け入れるように集中するのが受動的注意で、このときの脳活動は頭頂葉《とうちょうよう》が相対的に活性化します。ゲームなどでも慣れてくると、この頭頂葉の活動が相対的に高まっていきます。

集中力を考えるときには、この能動的な注意と、受動的な注意のバランスが大切です。
特に受動的な注意。
これを働かせるには、全体を受け入れる感じ、リラックスした感じが必要になります。

★レッスン17
机の上に手を出してください。
そして、両手ともこぶしを作ってぐっとにぎります。
どんどん力を入れます。
1、2、3、4、5（5秒にぎって）、脱力してください。

この感覚を忘れないでください。このスッと力が抜ける感じが、受動的な注意を高めるためのキーになります。

●科学的根拠がある「集中の儀式」を探そう

行動つきの儀式、言葉、さまざまなものが「入りの儀式」になりえます。

あなたにあった「入りの儀式」になりやすいのは、あなたが集中できたときに起こった様々な事柄、それまでの行動、音楽、頭に浮かんだフレーズ、匂い、場所などです。

しかし、集中した状態が思い浮かべにくい人もいるでしょうし、思い浮かんだものが「儀式」になりにくいということもあるでしょう。あるいは、どんな儀式でもいい、根拠なんていらないといわれても、やっぱり多少なりとも科学的な根拠があることを儀式にしたいという人もいるでしょう。

そこで、**これから多少は科学的な根拠がある、儀式の候補をつらつらとあげていきます。**

自分の儀式を決める参考にしてください。

●色を使う

たとえば、黄色いポストイットを机に貼ります。

「これを3秒見れば集中できる」と決めつけてしまうのです。

黄色は信号機でも注意信号として用いられ、集中を高めやすい色だと考えられています。

同じように青も集中力（この場合は主に受動的な注意）を高めやすいと考えられていますから、青でもＯＫです。

さらに、赤や緑のポストイットを貼ってみます。

ハイペースで勉強するときには赤のポストイットを、リラックスしたいときには青いものと分けるのです。赤は興奮しやすい色、緑は鎮静しやすい色です。

●音楽を使う

iPodなどで音楽を聴きながら、音楽で条件づけすることもできます。

何曲か試してみて集中できた曲を選び、集中したいときに流すようにすれば、その曲で条件付けができます。

ハイペースで勉強したいときにはアップテンポの曲、リラックスしたいときにはスローな曲と使い分けましょう。

あまり聴き慣れないかもしれませんが、一般的に**集中力を高める曲は「マーチ」です。**

色の場合もそうですが、音楽の好みには大きな個人差がありますので、色の調整、曲の選択などはあなたに合ったものにしてください。

たとえば、ハードロックが大好きな人なら、普通の人なら高ぶってしまうビートで、脳が鎮静化し、睡眠誘導に使える場合すらあります。

●タッピング！

気持ちが浮足立っていたり、イライラして集中できないというときには、体への刺激をあたえることが有効です。


たとえばタッピング。

まず、手のひらを太ももに置きます。そして、リズムよく軽くたたきます。

リズミックな運動はセロトニン神経系を活発化させますので、受動的な集中状態を作りやすくなります。

●貧乏ゆすりと集中の関係

集中が落ちたり、イライラすると、貧乏ゆすりが始まることがあります。

貧乏ゆすりは、集中を持続させるために脳が指令する自然な行動です。このリズムを刻みながらの行動で人間が落ち着く効果があるからです。

ですから、貧乏ゆすりが出てきたら、あえてしっかり貧乏ゆすりをするのも集中のための儀式になります。

●四隅をゆっくりと眼球運動させる

集中力というのは「眼の球の制御」と密接に関係しています。集中するということは、目をそちらの方向に、相対的に固定することだからです。

「相対的」というのは、目線の固定は、単なる眼球の固定ではないからです。たとえば、集中してパソコンの一点を見つめる場合、頭の微細な動きをキャンセルするように眼球を動かす必要があります。この微妙な眼球コントロールに深くかかわるのが前頭葉の一部、前頭眼野《がんや》で、能動的な注意を払うときこの部位が活性化します。ですから、**眼球を動かしてこの部位を活性化させ、集中を高める方法もありうるわけです。**

たとえばパソコンのディスプレイの中央を見つめます。顔はそのままで、眼球だけ動かし、パソコンの四隅を、1、2、3、4、…7、8と2周ゆっくり時計回りに眺めます。

次は、逆回りで2周し、終了したら「ふ〜」と息を吐きましょう。

これで、集中できます。

参考書の四隅でも、机の四隅でも、四角のものなら何でもいいです。タッピングを合わせると、効果はさらに上がります。

こういう眼球運動をしながら、勉強を行う上で障害になること、悪い思い出をあえて思い出して、そのストレスを軽くすることもできます。実は、タッピングや眼球運動のテクニックは、もともとはトラウマ、ストレスの軽減に効果がある方法として開発されたテクニックの一部です。

実際に、とらわれ、トラウマの解除に眼球運動を用いる方法が有効だという結果が出ています。

●俯瞰的に見る

少し難しいですが、**眼球を動かし四隅を眺めているときに、そのあなたを見ている視線が作れると、先を見越した集中ができるようになります。**

たとえばサッカーがうまい人は、上空からコート全体を眺めているイメージを作っています。

「ここにパスを出せば相手のディフェンス陣はこう動く、次のパスはここに出す、するとあのあたりにスペースができる」。

いい選手とは、こういう予測を瞬間的に俯瞰的な視点からすることができる選手です。

ボクシングでも同じです。眼前の敵と自分の動作をモニターするだけではなく、自分と相手の位置関係を第三者の視点から眺めなければなりません。それができなければ、パンチはよくても試合が駄目だね、となってしまいます。相手から自分を見ているイメージをすることも重要です。

野球でも、自分のバッティングフォームを実際の目線以外から見つめる感覚が必要です。

集中力が高い人は「俯瞰的」に見るイメージを持っているのです。

●意識上のしきりを作る

集中を高めるためには環境を整えることもひとつの手です。

何かしていてもすぐにほかのことに気がいってしまう、たとえばテレビや、雑誌などに気をとられてしまう。そうかと思うとまた別な何かに気を取られてしまう…。

すぐに気が散ってしまうお子さんを交え、親御さんとお話しをします。

このとき、従来のカウンセリングルームのような環境で、話を行うとうまくいきません。

カウンセリングルームというと、相談しにくる人の心を和ませたり、おもちゃがあったり、絵が飾られていたり、楽しげな雰囲気が作られています。

それはいいことではあるのですが、その反面気を散らす要素がたくさんあるということでもあるのです。

こういう場合は何もない部屋、気が散る要素ができるだけ排除されている部屋の方が適当です。

気が散らないので、お子さんは落ち着くからです。

夜遅くなるほど集中が強くなる、マンガ喫茶の個室が落ち着く、専門学校のしきり付き自習室が一番好きという人は、個室か、前、両脇が視界に入らない仕切りのある勉強環境が最適です。そういう環境づくりが困難な勉強環境なら、自分の机の両端に参考書やノートを置くなどして意識上のしきりを作った方がいいでしょう。

集中できるまで、両手を遮眼帯《しゃがんたい》（競走馬が気を散らさないように視野を覆っているもの）のように使うのもひとつの手です。

「長時間集中」にはお茶

5〜10分の休憩をするときには、お茶タイムにしましょう。

軽くお茶を飲みます。なるべく、あたたかいお茶にしましょう。

休憩後、長い時間勉強するというのなら、一般的にお茶が集中を持続してくれます。カフェインとテアニンが冷静な覚醒を助けてくれるからです。

●短期決戦！砂糖！

さらに、**砂糖も効果を発揮します。**

以前、脳関係の研究者が集まってシンポジウムをしたときのことです。控室でコーヒーが出されました。

さあ、これからシンポジウムが始まるというときに脳科学系の研究者は一斉にコーヒーに砂糖を入れ、飲み始めました。

今！この場で！エネルギーが欲しいのなら砂糖です！

脳の唯一のエネルギー源はブドウ糖だからです。20分程度の「短期勉強」なら砂糖やアメなどがオススメです。

しかし、糖分をとって血糖値が急に高まると、今度はそれを抑えようとしてインシュリンが強く働いて低血糖になる場合があります。

低血糖では頭はボーっとし、集中力は低下します。
砂糖はあくまで短期決戦用です。

★レッスン18
自分にとってよさそうな集中の儀式を、3つ書き出しましょう。

第4章

暗記はするな！
効率的に
「強い記憶を作る方法」

記憶は神経細胞同士のネットワークです。「つながり」です。

「つながり」はいかようにもつけられますが、合理的な「つながり」の方が効率的です。

合理的なつながりとは「理解すること」にほかなりません。

ただの暗記より理解です。

●「記憶されるとき」「されないとき」

何枚かの写真を2秒ずつ見せます。そして、その写真が室内のものか、屋外のものかを判断してもらいます。このときの脳活動を調べます。

それから30分後、先ほど見せた写真とまだ見せていない写真を混ぜ、ランダムに提示します。そして、その写真が先に見せた写真かどうかを判断してもらいます。

すると、写真が室内のものか、屋外のものかを判断したときに、前頭前野外側部や側頭葉内側部が強く活動した写真ほど覚えているのです。見せたか見せなかったかのテストで、確信をもって正解できるのです。

前頭前野外側部はみなさんのこめかみから、そのやや上あたりの脳です。記憶や情報を一時的に保持し、組み合わせることにかかわります。側頭葉内側部には、海馬《かいば》、海馬傍回《かいばぼうかい》、嗅内皮質《きゅうないひしつ》、嗅周皮質《きゅうしゅうひしつ》などがあり、エピソード記憶の形成や、そのことは知っているという感じにかかわります。

この**前頭前野外側部と側頭葉内側部が、短期記憶の一種、ワーキングメモリ（作業記憶）を担うと考えられています。**ワーキングメモリは、情報や記憶をいったん保持して、なんらかの知的作業を実行する機能です。

写真実験の例でいえば、写真が家の中のものか、外のものかを判断するために、写真から得られた情報と過去の体験や記憶をいったんワーキングメモリ化したわけです。

そしてワーキングメモリで「深い」処理をされた方が、前頭前野外側部や側頭葉内側部が強く活性化され、長期記憶化も促進されるのではないかというのが、先ほどの実験の解釈です。

ワーキングメモリがちゃんと作動しないと、「テキストのあのページ…、30分も見たのに思い出せなかった」ということが起こってしまうわけです。

●東大生のノートは美しい？

『東大合格生のノートはかならず美しい』（文藝春秋）という本がだいぶ売れたそう

です。

私のところには、世の中でちょっとしたブームが起きると、しばしばテレビ局から依頼がきます。そのとき、脳はどうなっているのか調べてほしいというのです。

音読、単純計算、回転寿司、えんぴつで奥の細道、ぬり絵、スロット、DS脳トレ、ZARDの曲、おしりかじり虫…。日本ハムファイターズが北海道に本拠地を移してから、初めて優勝して、札幌ドームの応援が大盛り上がりだったときには、応援されているときの脳を調べてくれという話もありました。父親が豆まきで鬼を追い払うとき、子どもの脳はどうなる？といった依頼もありました。

研究アタマではなかなか思いつかない実験ネタなので、つい協力するケースが多いのですが、今回は、フジテレビの「とくダネ！」から、「東大生がノートをとっているときの脳を調べてくれないか」と依頼がありました。

私もかつては「東大合格生」でしたが、ノートは乱雑、というより、ほとんどとっていませんでした。まわりもそんな感じだったので、「かならず」はいい過ぎだろうと突っ込みをいれながらも、「そういえば、実際、ノートをとっているときの脳活動を見たことがないな」と気がつき、引き受けました。

『東大合格生のノートはかならず美しい』の中で紹介されていたノートの持主の東大院生が、私のいる諏訪東京理科大学（長野県茅野市）までやってきました。そして、岡谷の英語塾から講師の方にきていただき、数パターン、英語の授業をしてもらいました。

1. いつものように「美しく」「真剣に」ノートをとる場合
2. 漫然と板書を写す場合
3. パソコンで考えながらノートをとる場合

それぞれの脳活動を、多チャンネルＮＩＲＳで調べました。

結果は、一目瞭然！
東大式？ノートの圧勝です。

ちょっとびっくりしました。

細かく見ると、いつものようにノートをとっているときと、漫然と板書を写しているときの脳活動で共通していたのは、ブローカ野とウェルニッケ野の活動でした。

ブローカ野は発話性の言語中枢で、言葉を文法的に組み立てたり、言葉を発したりすることにかかわります。一方、ウェルニッケ野は、話し言葉の理解にかかわります。

ノートをとるときには、頭の中で言葉を繰り返すことになるはずですから、ブローカ野とウェルニッケ野が連動して活動するのも当然といえば当然です。

ＰＣでノートをとる場合でも、ブローカ野、ウェルニッケ野が弱いながらも活動していますから、**ノートをとるということの背景には、言葉の心の中での繰り返しがあるのだなと推測されます。**

●頭を使う方が記憶は定着しやすい？

さて、「美しいノート」での脳活動の特徴のひとつは、ブローカ野からそのやや上にかけての、前頭前野外側部の活動の強さです。ここが、ワーキングメモリを担う部位です。

もうひとつの特徴は、頭頂連合野が活動することです。ここは空間的な位置関係の把握や出力にかかわります。また受動的な注意や、ワーキングメモリの処理にもかかわるところです。

つまり、「美しいノート」をとるときには、先生の話や板書の内容を心の中で繰り返しつつ、ノート上でわかりやすい空間配置になるようにバランスを考えているのだろうと思われます。

そしてそのことが、**ただ漫然とノートをとったり、ＰＣでノートをとる以上に、前頭葉外側部を使うことになります。ワーキングメモリで「深い」処理が実行されることになります。**

その分、記憶に残りやすくもなると考えられます。

わかりやすく表現すること。
わかりやすく表現しようとすること。
そう考えながら頭を使うこと。

これがワーキングメモリの深い処理を促し、記憶の定着を促進するわけです。もちろん、内容の理解も促すはずです。

●ワーキングメモリを体験する

ところで、先ほどから「ワーキングメモリ（作業記憶）」という言葉を盛んに使ってきました。

しかし、ワーキングメモリって、そもそもどういうものなのでしょうか？

そこで、ワーキングメモリテストをいくつか体験していただいて、ワーキングメモリとは何なのかを、直感的、体験的につかんでください。

★レッスン19【かなひろい】
次の文章を読み、その内容を把握しながら、文中の「の」の数を数えてください。漢字の中の「の」も数えます。
文章は復習もかね、前掲の写真実験のものです。

何枚かの写真を2秒ずつ見せます。その写真が室内のものか、屋外のものかを判断してもらいます。このときの脳活動を調べます。それから30分後、先ほど見せた写真とまだ見せていない写真を混ぜ、ランダムに提示します。そして、その写真が先に見せた写真かどうかを判断してもらいます。すると、写真が室内のものか屋外のものかを判断したときに、前頭前野外側部や側頭葉内側部が強く活動した写真ほど覚えているのです。見せたか見せなかったかのテストで、確信をもって正解できるのです。

わかりますね。脳にメモする感じ。

正解はあえて掲載しませんが、ワーキングメモリの機能のひとつが、この「脳にメモする」ことなのです。

文を理解するというときにも、読んだ部分が「脳にメモ」されていき、ワーキングメモリが働いて内容が把握されていきます。

その分、「の」を数えるためのワーキングメモリの容量が不足して、数えそこなったりするわけです。

★レッスン20
【ひらがな文章読み】
もうひとつ、ワーキングメモリ課題を体験してください。
次のひらがなのみの文章を読んでください。

きおくとはなにかというとにゅーろんどうしのねっととわーくのつながりですこのつ

ながりがなにかのかげんでたちあがりやすくなるようにいちおうできあがっていると
きおくですだからものものようにどこかにあるわけではありません

単語はどこまでか、文のまとまりはどこまでか？

ここでもワーキングメモリが働きます。漢字や、句読点がいかにありがたいか、それらがあることで、ワーキングメモリの負荷がいかに減るのかもわかると思います。また、こうやって**ワーキングメモリに負荷をかけて読み込む方が、すんなり読むよりは記憶に残りやすくもなります。**

もうひとついきましょう。

たしかにかおのきおくはぼうすいじょうかいがきーですがそこをちゅうかくとする
ねっとわーくがかおのきおくにかかわるということにすぎませんだからきおくはあく
までつながりでつながりのかたちをどうするかがきおくのこつにつながります。

この文の記憶では、ぼうすいじょうかい、が、紡《ぼう》錘《すい》状《じょう》回《かい》と表記されている方が、

「紡錘状回」を覚えやすくなります。ややこしい漢字の理解にワーキングメモリが働くからです。

紡錘状回は、側頭葉底部にあり、そこは好き嫌いにかかわる扁桃体《へんとうたい》と強くアクセスする。また記憶を作る海馬は扁桃体が興奮すると働きやすくなる。だから顔は感情を動かしやすく、記憶に残りやすい。また、成長期では顔判断はここに集約されていないが、発達にともなって局所化されていく。興味深いことに、車に興味が強く、愛着を持っている人では、車種の区分に紡錘状回を使うらしい。まさに、車には顔があるわけだ。

などと「紡錘状回」の、理解を深めるような記述がついていると、「紡錘状回」はさらに記憶されていきます。

●「視空間的記銘メモ」「音韻ループ」「エピソード的バッファ」

「ワーキングメモリ」という考え方を確立したのは、認知心理学者のバドリーです。彼は現在、ワーキングメモリが4つのコンポーネントからなっていると主張しています。

ひとつは音韻ループです。

言葉や音の情報を、繰り返し（リハーサル）などでループさせ、保持するシステムです。先ほどのひらがな文を読んでもらったとき、おそらく音に頼ったはずで、音韻ループが優位に働いたであろうと思われます。

もうひとつは、視空間的記銘メモパッドです。

視覚的、空間的なイメージを保持したり操作したりするシステムです。たとえば、「紡錘状回」を「ぼうすいじょうかい」という音のループで保持しようとするのに対して、「紡錘状回」という視覚的な文字の印象で覚えるとしたら、それは視空間的記銘メモパッドによる記憶の保持です。側頭葉底部の位置がイメージされたとすれば、それは視空間記銘メモパッドです。

もうひとつは、エピソード的バッファです。

バドリーはエピソード的バッファに、音声、視覚、空間情報、さらには意味情報を統合した表現を、DVDのワンシーンのように保持する役割を持たせています。

この、**音韻ループ、視空間的記銘メモパッド、エピソード的バッファを従属システムとして、これを制御する「中央実行系」が、長期記憶などと情報をやりとりするというシステムが、ワーキングメモリのシステムです。**

このワーキングメモリのシステム構成から考えると、たとえば、音韻ループに頼った記憶でうまくいかないなら、視覚的なメモを使うことが記憶を高めるコツになります。また、たとえば、年号と事件の組み合わせを、音韻ループと視覚メモだけで覚えるのがきつくても、大河ドラマで見てしまうと覚えやすいのは、エピソード的バッファを使っているからです。
実はそれが理解です。

★レッスン21
【多重課題】
●まず、次の5つの言葉を覚えてください。
ぼうすいじょうかい
こしひかり
やえざくら
ぎっくりごし
たてしなこうげん

●声に出して、百から7を引いていってください。5回引いてください。
●次の言葉を覚えてください。

富士の山

●「富士の山」をひらがなで逆からいってください。
●最初に覚えた5つの言葉をいってみてください。

「富士の山」を逆からいうとき、人によって戦略が違います。

「ふじのやま」を音のループを繰り返すことで覚え、音を逆にたどる人もいるでしょう（音韻ループ）。「富士の山」あるいは「ふじのやま」を、視覚メモとして空間に貼り付けて、逆から読もうとする人もいるでしょう（視空間的記銘メモ）。

どちらも「アリ」ですが、音韻ループだけで覚えにくければ視空間的記銘メモを意図的に使うと記憶しやすくなります。この課題は、言葉ですから当たり前に音韻ループが使われますが、この問題が写真で提示されたとしたら、逆に音韻ループを補うことが記憶しやすさを増すことになります。

また、たとえば、新幹線の車窓から見える富士山をイメージし、富士山と走る新幹線、その中にいる自分をエピソード的に思い描けば、「富士の山」はよりしっかりと記憶されていきます。

もっとも、この程度の問題でエピソードに頼る必要はないでしょうが。

いずれにしても、「目」と「音」とで覚えようとすることは、ワーキングメモリをうまく使うことになります。それが動画になればなおうまい。

さらに、主人公感覚があれば記憶効率は上がります。自己経験の形に近い方が覚えやすいからです。

●記憶は「つながり」

記憶とは何かというと、ニューロン同士がつながり合ってネットワーク化したものです。

もちろん、ニューロンはそもそもつながり合ってネットワークを形成していますから、あまたあるつながりの可能性の中から、あるネットワークが優先的に立ち上がるようになった状態、それが記憶です。

同時に、別のネットワークが立ち上がりにくくなることも必要です。

「記憶」をこのように定義すると、「記憶」の概念がぐっと広まります。たとえば、今最も幅広く受け入れられている神経心理学者スクワイアーによる記憶分類は、みなさんが思う「記憶」よりだいぶ広い概念です。

その分類では、顔の近くで手をたたかれると瞬きが起こる瞬目《しゅんもく》反射や、頭が動いたときに、それを代償するように眼が動く前庭動眼《ぜんていどうがん》反射（眼球は絶えず動きながら見える画像を安定させています）のような反射系も、非連合学習として長期記憶の一部として扱います。ここでも、ある動き方が学習され（記憶され）、他の動き方のネットワークは沈黙するわけですから。

また海馬・側頭葉内側部、間脳を中心とするネットワークが担う、事実や出来事に関する記憶（意味記憶・エピソード記憶）は、もちろん記憶です。線条体・運動野・小脳が担う技能や習慣の記憶（手続き記憶）、新皮質が担うプライミング記憶もそうです。小脳・海馬による運動系の条件付け、扁桃体・海馬が担う味覚系の条件付け、そして反射系まで、みなネットワークです。記憶です。

たとえば、先に触れた依存行動なども、前頭前野→側坐核→大脳基底核→前頭前野のループの中で、側坐核への扁桃体・海馬からのドーパミン入力によって、あるネットワークが選択的に強化された「記憶」です。

●消える「つながり」

記憶がつながりだとすれば、つながりのでき上がり具合には段階が想定されます。

たとえば、

かば　うま　ねずみ

目をつぶっても、しばらくは字面が残ります。

こういうのを感覚記憶といいますが、その残留時間は数秒から数十秒です。「かば」「うま」「ねずみ」を意識をこめて記憶しようとすると、ワーキングメモリが働きます。前頭葉・海馬が中心のワーキングメモリは短期記憶ですから、感覚記憶よりは長い記憶ですが、そう長く持つ記憶ではありません。

また、**ワーキングメモリが深く働かなければ、記憶として残りにくくなります。**そもそも日常記憶をオンライン的に自動獲得していくためには、意識に上らないほとんどの記憶は消え去る必要があるからです。

そこで、**「注視」「報酬」「情動」などによって、ワーキングメモリにかかわる部位を強く作動するような短期記憶のみが、長期記憶として海馬で固定されていきます。**

そして記憶獲得後、1カ月を過ぎるころに、記憶は海馬に依存しなくなっていきます。

このプロセスが記憶を獲得していくプロセスです。同時に、必要な記憶のみを残し、不要な記憶を失っていくプロセスと見ることもできます。

「教科書で一度見たはずなのに…」

よく聞くセリフですが、一度で覚えられる方が珍しいことです。

★レッスン22

あなたの記憶の消え方のイメージ図を作りましょう。

これから20分かけて英単語を20個覚えてください。もしくは、歴史上の出来事、法規、なんでもいいです。数として数えられる記憶リストを作り、20分覚えてください。

1時間後、そのリストのうちどのくらいを覚えていたか、図（144ページ）に書き入れてください。

3日後、どのくらい覚えているか書き入れてください。

1カ月後はどうでしょう。

3カ月後では？


今日は、1時間後までのところを書き入れます。それ以降は予測を、点線で書いておいてください。のちに実線で結果を書き入れましょう。

繰り返しますが、**みなさんに覚えておいていただきたいことは、記憶は消えますよ**

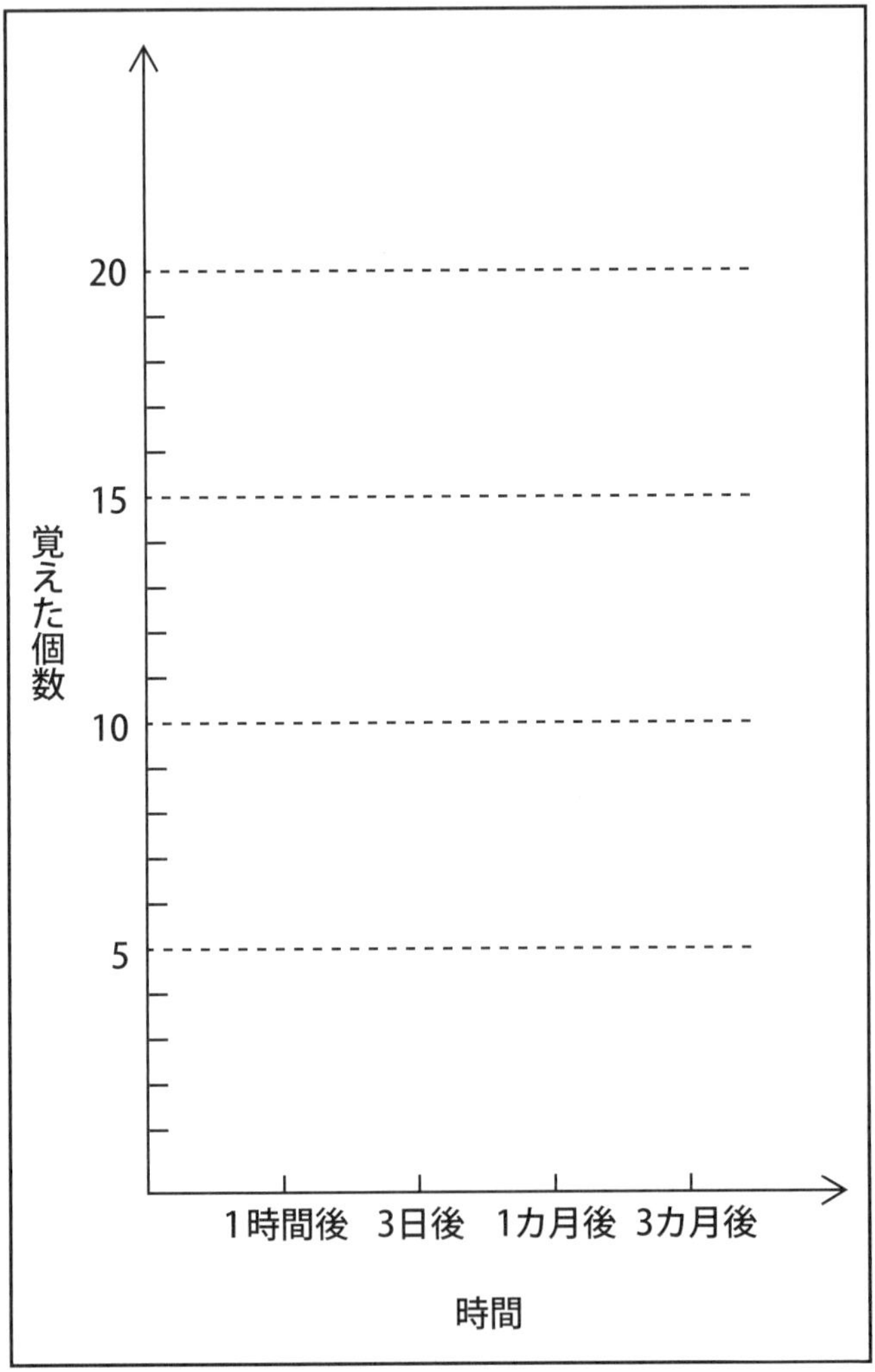
20
15
10
5
覚えた個数
1時間後
3日後
1カ月後
3カ月後
時間

ということです。それを自覚して欲しいのです。

面白いことに、記憶力がいいといわれている人たちは、自分の記憶力のなさをよく知っています。どのくらいたつと、どのくらい忘れてしまうか。こういう内容だとさっと覚えられるが、この手の課題だと定着率が悪そうだ、など、**具体的に自分の記憶の癖を知っています。**

忘れ方に自覚があるのです。

そして、そのパターンに合わせておさらいをしています。

●3割忘れるときがチャンス！

だから、**記憶を高める秘訣のひとつは、自分の忘れ方のパターンを知ること**です。

今、記憶したことでも放っておくと忘れていくのが当たり前です。だから、寝るときに今日覚えたことをアバウトにでもおさらい、整理する。目で見て記憶する。しかし、それでも3日もすれば半分は忘れてしまう。だから、そのタイミングで軽く記憶しなおす。

それでも1カ月後には半分以上忘れてしまう。
そこでまた、そのタイミングでざっとおさらいする。

★レッスン23
無限におさらいができるわけではありません。
先ほど作った図を参考に、3回復習するとすれば、どのタイミングが良さそうか、
図（147ページ）に書き込んでください。
また、そのときの記憶の残り方を、パーセントで書き込んでください。
おおむねのおさらいの目安は、記憶が3割程度消えているタイミングです。

あなたが「あの人は記憶力がいい！」と思っているあの人は、おさらいを自分のタイミングで自然にしています。記憶力がいい人は、「クソっ！1回覚えたのに、どうして覚えていないんだろう」などとはいいません。周りの人に合わせてそういう発言をするかもしれませんが、本音ではありません。
「あのタイミングでおさらいしてないから、今このぐらいしか思い出せない。まあ当

	復習する期日 （○日後 ○カ月後…など）	どのくらい 記憶が残っているか? (○%)
1回目		
2回目		
3回目		

然か…」そう思っているのです。

記憶力がいい人は、3～4割記憶が失われるタイミングで記憶しなおすのです。しかも、できるだけ簡単におさらいできる工夫をしています。

おさらいを重視するためには、おさらいに時間をかけない工夫が必要です。そのためには、おさらいのとき、さっと見るだけでおさらいできるように、覚えたいことをわかりやすい形でまとめておく。「東大生のノート」の話は、このおさらいの場面でも大きな力を発揮します。

記憶しやすい形を作るのには時間を割きましょう。

●「覚えやすい形」は「理解しやすい形」

「マジカルナンバー7」という言葉を聞いたことがあるでしょうか？

たとえば1968、268541、45274l2などと桁を増やしながら記憶していくと、平均して7±2個くらい覚えられる、その数がマジカルナンバー7です。

この事実から、人の短期記憶の容量は7チャンク（チャンク＝まとまり）くらいだろう考えられていました。

しかし最近のワーキングメモリに関する研究から、7チャンクという量は、感覚記憶的な超短期記憶や、ゴロ合わせなど何らかの戦略が補助されれば可能だが、前頭葉、海馬が処理するワーキングメモリの容量としては大きすぎると考えられています。

そこで指摘されているワーキングメモリの容量は、3チャンクから4チャンク。つまり、まとまりのある事柄なら「あれ」「これ」「それ」で処理するのが限界で、いっぱいいっぱい頑張っても「その他」がつくくらいということです。

ですから、**理解しやすい形で整理する上でも、ワーキングメモリの適切で深い処理を促すためにも、「3」がキーワードになります。**

たとえば3—3—3の枝分かれした図（チャート）で事柄を整理すると、理解しやすくなり、記憶しやすくなるわけです（150ページ図）。

また、事柄同士のつながりを図示することは、理解を促すことになります。

結局海馬がしている仕事は、五感や記憶の情報に新たな結びつきを作ることです。

それは結局のところ、新しい世界の見え方、理解の形を作ることにほかなりません。

３で枝分かれする図の例

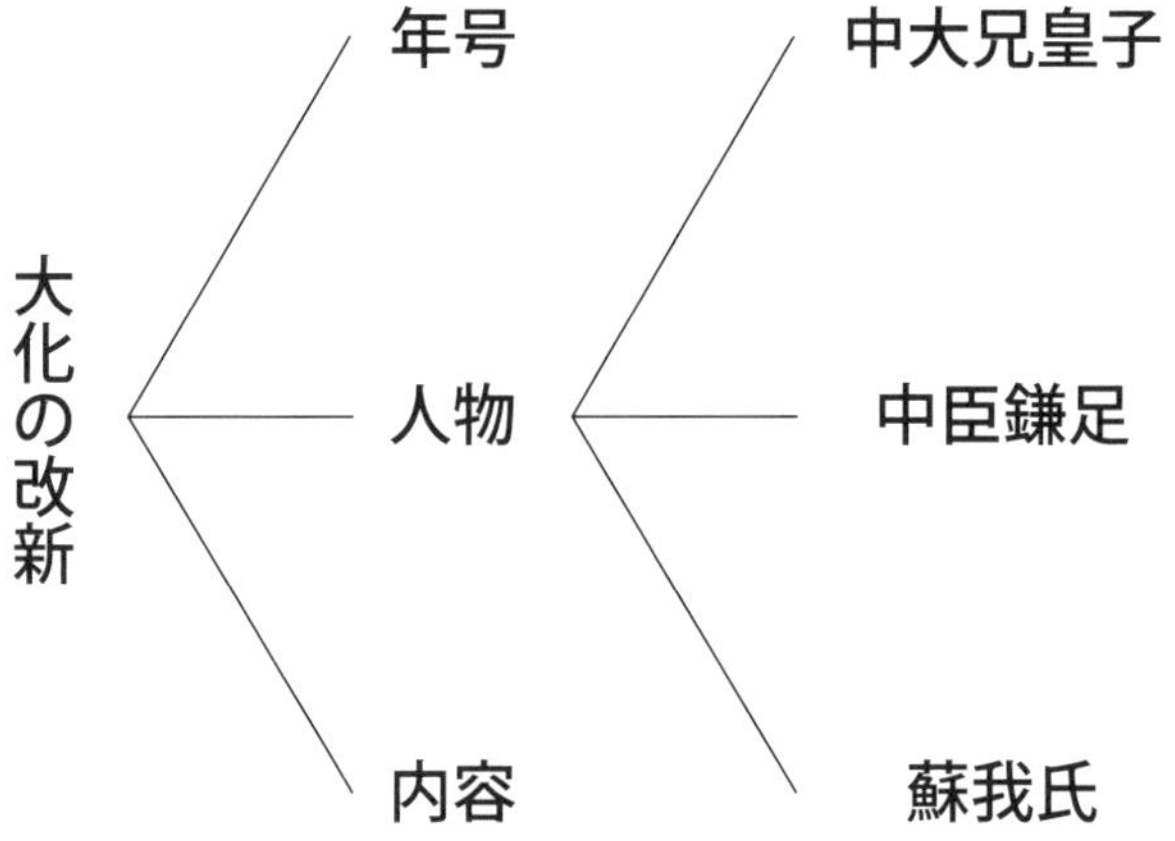

ちょうどニューロンやニューロン集団が、他のニューロンや集団と新しいつながりを作っていくように、事柄のつながりを重視して表現すると、理解や記憶をサポートします。

受験勉強を「理解のない丸暗記で意味がない」という人もいます。

しかし、それは間違いです。**理解なしで記憶することは、実は難しいこと**だからです。

「数学は解法パターンの暗記」という人もいますが、これは理解なしの暗記で数学ができるといっているのではありません。「解法パターンの暗記」自体が、数学の問題を理解できたということになるのです。

記憶とは、情報そのものを覚えることではありません。情報にまとまりを作り、他の情報とつながりを持たせることなのです。ただの丸暗記でも、結局はつながりを作っていますし、どうせつながりを作るのなら、「理解」というつながりにしておいた方が合理的というものです。

遠回りのようでも、ちゃんと理解することが効率的な記憶を促進します。

●記憶を強める「チャンク」と「フック」

記憶法としてしばしば、「チャンクを作ろう」とか「フックを作ろう」とかいわれることがあります。

チャンクは、先ほど少し紹介したように、「まとまり」です。

たとえば、「19765983452」をそのまま覚えるのは困難ですが、「197」の「6598」「3452」とかたまりを作るとずいぶん記憶しやすくなります。

英語の学習でも、やたらに長い文をそのまま理解するのは困難ですが、関係代名詞で区切るなど、適当なチャンクを作ると理解しやすくなります。

円周率を数万桁まで覚えている方などが、ゴロ合わせを使いますが、これなどもゴロ合わせを使って覚えやすいチャンクを作っているわけです。さきほどの3―3―3のブランチ図も、理解しやすい=記憶しやすい、「チャンク」を作る試みとしてとらえることもできます。

フックは「ひっかかり」です。

たとえば、私たちがある俳優の名前を思い出そうとするとき、「ほら、あの、あれに出てた」「あの人の弟役をやっていた」「髪の長い」など、様々なその人の属性が浮かんできます。もちろん顔、姿も。これらはみな、フックになっているわけです。「名前」を中心として考えた場合、顔、姿、出ていた映画、役、これらが理解のネットワークになっているのと同時に、フックになっていて、名前を思い出そうとするときの手がかりになるわけです。

たとえば「関ヶ原の合戦」という言葉を、ただの音韻として覚えることももちろんできます。

しかし、そのとき、東軍と西軍が対峙し拮抗《きっこう》していたが、小早川軍が東軍についてから一気に形勢が東軍に傾いたとか、家康は上杉攻めから踵《きびす》を返して関ヶ原に向かったとか、あるいは、関ヶ原でよく新幹線が止まるとか、**フックをつけて覚えておくと、記憶しやすくもなりますし、記憶を引き出しやすくもなります。**

ローマン・ルーム法という「家を出てから〜」とストーリーをつける記憶法があります。何か順序のあるものを覚えるとき、玄関から会社に行く道すがらをイメージして、その時々に現れるもののイメージに、覚えようとしているものを重ねていく方法です。

海馬の細胞を高頻度で刺激すると、その後、活動亢進《かつどうこうしん》が持続することが知られ、これを長期増強と呼び、記憶の素過程であろうと考えられています。そのメカニズムの一端を次に述べますが、こういうややこしいプロセスを覚えるのに、「日常の道筋やランドマーク（目印）」が役に立ちます。

ではそのメカニズムです。

ＮＭＤＡ受容体が開口（玄関）→カルシウムが流入して、CaMKⅡキナーゼを活性化（車に乗り込む）→ＰＳＤタンパク質のキナーゼ安定化（カーブミラーのある十字路）→ＡＭＰＡ受容体の小胞体から細胞膜上への移送（歯医者の角）→新たなＡＭＰＡ受容体がシナプスに出現（ガソリンスタンドの交差点）

★レッスン24
あなたが今、覚えなければいけなくて、苦しんでいる事柄を、あなたの家の玄関から会社や学校までの道筋にあてはめ、プロット（構想）してみてください。

こういうやり方は、長いプロセスをわかりやすいまとまりにし、かつ、そのつながりや順序性の理解をサポートするための工夫です。長い因果関係や、歴史などで忘れがちな順序性に、意識をはせるにはいい方法です。

しかし、チャンクを作り（適切なまとまりを作り）、フックを作り（関連情報を増やし）、そのつながりを意識するということは、結局、いい理解のしかたを準備することにほかなりません。

記憶技術よりは、正しい理解です。

だから、ちゃんと理解しましょう！

●脳は感動ナシの記憶が苦手

脳は理解なしの丸暗記が下手です。また、感動なしの丸暗記も苦手です。

先ほど、記憶は自動獲得されていくために、意識に上がらないほとんどの記憶は忘れ去られる。短期記憶の中でも「注視」「報酬」「情動」などに支えられた場合だけ、長期記憶として海馬に固定されると書きました。

このうち「情動」にかかわるのが、扁桃体と海馬です。**扁桃体は海馬の手前にあり、生き物として近づくべきか遠ざかるべきかを判断します。そして、海馬と連動して記憶していきます。**

扁桃体と海馬が連動することは、当然のことです。たとえば、食べた後、気分が悪くなった食べ物や、それを食べた状況を記憶しておかないと、生き残る確率が減ってしまいます。

逆に、安全に食べ物にありつけた場所や、おいしい食べ物のことを覚えておかないと、またその食べ物を獲得する確率が低くなります。

仮に、生物学的な価値判断と記憶の連動が弱い生物がいたとすれば、その生物が生き残る確率が低くなります。

やる気や意欲にかかわる線条体は、無意識的な行動と快・不快をつなげます。腹側線条体の側坐核に、扁桃体・海馬からドーパミン神経系からの入力が行われ、ある行動の強化や、消去が行われます。

それが生き物の生存確率を高めているわけで、快・不快をともなう行動が記憶に残るのは当たり前です。

また、扁桃体が興奮するような事柄は、海馬への情報ゲートを開き、記憶効率を高めます。**だから、強く好きなこと、強く嫌いなことは強く記憶できるのです。**

強く記憶したいのなら、覚えなくてはいけないことを、覚えたいことだと思い込むことです。これはすごく覚えたいと、わくわくする気持ちで思いましょう。記憶を定着させたいのなら、無理やり「今すごいことを覚えているんだ」と思い込んでみましょう。

記憶を高める秘訣は感動を込めて覚えることです。

また、ちゃんと理解でき、ストーリーがつながってくると、その内容に感動しやすくなります。

もともと学問は知識の体系でありながら、発見の連続、感動の体系でもあります。

だから、きちんと理解することが、学問上の感動を再体験することに重なるのです。

すると扁桃体が動きやすくなって、海馬での記憶も定着しやすくなります。

覚えたいことに感動を込め、理解すると、ますます感動を呼び、記憶効率が高まっていく。そして、そこには快がともなう。

それが勉強にハマるということの本質であり、世界を理解することの快感です。

「勉強なんて」と斜に構えては損です。**学ぶ中身を素直に尊いものと考え、素直に感動した方が、結局効率的なのです。**

●自分の感動のタイプを利用する

しかし、感動しやすさや理解のしやすさには、人によってタイプがあります。

耳から入ってくる情報が理解しやすく、感動しやすい人。
目からの情報が理解しやすく、感動しやすい人。
身体感覚が理解しやすく、身体感覚と感動が結びつきやすい人。

耳からの情報が理解しやすく、感動しやすい人の場合、感動を促進するためには、「抑揚《よくよう》」を使いましょう。

同じ「鎌倉幕府」でも、平凡にいう「かまくらばくふ」と、抑揚を込め感動を込め、役者がしぼりだす一言のように「かまくらばくふ」というのではまったく違います。普通、言葉の理解は左脳のウェルニッケ野などが行いますが、抑揚を込め、そこに感情を読みとるような場合では右脳のウェルニッケ相同野が活動します。耳からの情報を覚えやすい人は、この連動を使うのがいいわけです。
このタイプの人には、単純に、音の繰り返し、音韻ループで覚えようとすることも役に立ちます。また、学校の授業のように、誰かがまとめてしゃべっているのを聞くのが案外効果的です。
もちろん、これらの方法は、耳からの情報優位（音韻ループ処理優位）でなくとも使えます。

身体感覚優位な人もいます。

体育とかダンスとか動くのが好きな人は、身体感覚に優れていますから、身体動作をともなわせて覚えたり、リズムをとりながら覚えたりするのがうまい方法になります。あるいは、歴史モノなら歴史モノで主人公になりきるように、身体感覚を重ねてあげると記憶しやすくなります。数学や物理でも、どこから見ているのかの意識や目線の移動や触った感じをイメージすると理解しやすくなります。

わたしたちの脳は、目からの情報処理にその7割を使っているともいわれます。そ

のぐらい、人間は視覚優位な動物です。ですから、ほぼすべての人で視覚情報をうまく使うことが、記憶を高めることになります。視覚優位な視覚型ではなおさらです。

視覚型のさらなる記憶の強化のキーは、より画像的に記憶しようとすることです。

写真の細部を覚えるように、シャッターを押すように記憶してみることは、このタイプの人の脳のシステムに合った記憶法です。また、図を多用したノートをとったり、図や写真を多用してパワーポイントのようにまとめたりすることが、視覚優位な人には合うまとめ方です。

できれば、実際に動画化したり、動画的なイメージで記憶しようとすると、エピソード的バッファも働き、ワーキングメモリが深く働きやすくなります。

エピソードとは「物語」。物語のように、物語を語るように、事柄を理解していくことが、万人に通じ、かつ視覚優位型の人にとっては特に役立つ記憶法になります。

★レッスン25
あなたはどのタイプですか？
自分のタイプに合った記憶法を考え、書き出してみてください。

● 心地よい睡眠が記憶力を高める

最後に睡眠です。

マーの「simple memory 理論」によれば、海馬は、日常の経験という無数の入力を、ニューロンの回路に連合して記憶します。ここで、入力が似ている場合、それが重ならないように加工して出力します。また記憶を呼び出す場合には、一部の情報から記憶全体が呼び起こされます。こうして形成された記憶パターンは睡眠中に再活性化されて、海馬外に転送されていきます。

これがマーの考え方です。

実際、**記銘後に適度な睡眠をとった方が記憶テストの成績がいい、推論も寝ている間に進むらしい、技の定着には睡眠が不可欠らしい、**など、睡眠が記憶にあたえる影響を示唆《しさ》する様々な証拠が見出され始めています。

ですから、学習や勉強のプランの一環として睡眠を位置づけることが必要です。また、眠りが浅かったり、睡眠の時間が不規則になると、ドーパミンやセロトニン、コルチゾールなどのホルモンの分泌リズムが崩れ、意欲の低下や前頭葉の活性化が困難になるなど、記憶の妨《さまた》げになることが山ほど出てきます。

十分な睡眠がとれないと疲れがとれにくくなりますし、脳が働くべき時間にその活動を高めることもできなくなります。

寝る時間を一定にすることは、体のためのみならず、脳のため、記憶のためでもあるのです。

夜型人間が当たり前の現代では難しいかもしれませんが、よい睡眠を得るためには、朝日を浴び、適度な運動をする、食事時間を一定にするということが役立ちます。ぬるめのお風呂にゆっくり入り、睡眠前の刺激物や興奮を避けるのもいい方法です。

何かを覚えたら、目をつぶってリコールする。これはワーキングメモリの刺激にもなります。しばらく目をつぶっていることで疑似睡眠的な記憶の整理につながる可能性もあります。

★レッスン26

目をつぶって、今、覚えなければいけないことをリコールしてみてください。記憶しようとしなくて結構です。ただ、頭に思い描いてください。

第5章

脳は達成する！「勝負力の作り方」&「時間管理術」

ゴールは肯定形で書きましょう。
ゴールが近づくと気が抜けます。最後のひとムチは忘れずに。
時間管理を行うには、まずは自分の生体リズムを知ることです。
ノリの良いとき、悪いときを自覚しましょう。
それでも挫折は常識！挫折から強い考え方を身につけましょう。

●北島選手の金メダルの裏に…

北京オリンピックの前、北島康介選手を含む日本オリンピック水泳チームは、あるレクチャーを受けました。脳神経外科を専門とする日本大学大学院の林成之教授による「勝負脳」のレクチャーです。

北京オリンピックでの平泳ぎ二冠二連覇達成後、北島選手はその要因のひとつとして、「勝負脳を鍛えたおかげです」とコメントしたそうです。また、名匠平井コーチも、このレクチャーが日本水泳チームの好成績を支えたと指摘しています。

「勝負脳」とは、試合や勝負の場面でこれまでにないパフォーマンスを発揮するために必要な心構えであり、その心構えを支える「脳」をいかに作り上げていくかを説いたものです。林先生の指摘は多々ありますが、「勝負脳」を発揮するポイントとして、以下のような心構えをあげています。

・ライバルに勝とうとするのではなく、自己記録の更新にこだわる

・常に、自己ベストの3割増の力を出そうとする
・疲れた、大変だというような否定的な言葉を使わない
・調子のいいときは休まず、アグレッシブにやり続ける
・最後まで「勝った」と思わない
・プールと自分が一体化するイメージを持ち、自分の世界を作る

素晴らしい指摘です。これらはみな、勝負強い脳を作るのに役立つのみならず、**強い意志で勉強にハマり続けるための心構えにも通じます。**勉強や学習の結果を最高の形で表すための心構えにも通じるのです。

北島選手は、このうち、「否定語を使わない」と「過去の最高の自分を超えることを目標にする」を特に心がけ、二冠二連覇の偉業を達成したそうです。

●場と一体化する！

ところで、これらの項目のうち、「プールと自分が一体化するイメージを持つ」は、

「場にハマる」ためのテクニックと見ることもできます。

ここそが自分の居場所であり心地よいという無意識を作り上げてセロトニン系を安定させ、多少の不調があっても「待てる心」を作るのです。

同時に、体性感覚を自分の指先や足先にとどめず、かきこむ水のかたまりや、けりにともなう流体力学的なストリーム全体に広げる。さらにはプール全体の全力動、会場の人々の鼓動など会場全体を自分の一部のように体感するのです。

たとえば自動車を車庫入れするとき、左右のテールランプがどの位置にあるかおおむねイメージできるはずです。ギリギリの車庫入れでは、自分のお尻が軽く触れそうになるような感覚を持つこともできるでしょう。

サルに道具を持たせて、エサを引き寄せさせることを続けると、最初は手が届く範囲を刺激すると反応した体性感覚関連の脳部位が、道具が届く範囲にまで延長します。道具の先端が、身体の一部になるのです。

東京芸大でトップクラスの学生さんがデッサンをするときの脳活動を調べたことが

ありますが、目立ったのは触覚の統合やボディーイメージを形作ることにかかわる縁《えん》上回《じょうかい》の活性化でした。彼女の体性感覚は、鉛筆や紙、さらにはモデルさんの身体にまで延長しているのかもしれません。

★レッスン27
自分が勉強している場面を、後ろからイメージしてください。それからイメージの中の自分に入り込みます。

自分の感覚がPCや鉛筆やノートや、机や部屋の空気に広がっていくイメージを作ってください。

あなたの腕の動きが、あなたの周りの世界を質的に動かします。すべての環境と一体化したイメージを作ってください。

●前頭葉を活性化させ続けろ！

さて、「一体化する」を含めて、林先生の指摘する項目は、すべて前頭葉を活性化させ続けるためのテクニックであるといっても過言ではありません。

すでに指摘したように、私たちの脳は優れものです。どのような新奇な事柄にもすばやく慣れていきます。

慣れるまでの間、前頭葉がしゃしゃり出てきて補助的に働きますが、慣れてしまうと線条体や小脳など、無意識的・習慣的な脳が自動的に処理してくれるようになります。すると前頭葉は鎮静化するのです。そのとき、線条体が働きを高め、それが快に通じ、気持ち良く物事ができるようになります。

前頭葉がいったん活性化して、鎮静化していく、それがわたしたちの優れものの脳がパフォーマンスを向上させていく道のりです。

前頭葉の鎮静化こそ、パフォーマンスを向上させるときの目的になるのです。

しかし、ここで立ち止まってしまうと凡人です。一流というのは、慣れきったパフォーマンスに対しても全力で立ち向かい、前頭葉を活性化させるらしいのです。

たとえば、そろばんです。

わたしたちは以前、ＮＨＫの「ほっとモーニング」という番組の依頼で、フラッシュ暗算日本一の大学生の脳活動を調べました。

そろばんをしているときの脳活動については先行研究がありました。**慣れない人や、あまり上手でない人では、前頭葉、とりわけ46野や10野が活性化しますが、うまくなってくると、これらの領野は鎮静化していきます。まさに慣れのプロセスです。同時にパフォーマンス向上のプロセスです。逆に線条体は活性化していきます。**

そういう研究があったので、フラッシュ暗算日本一の彼の場合でも、パフォーマンスが高い分、前頭葉は速やかに鎮静化するだろうと思っていました。

確かに前頭葉全体では速やかな鎮静化が起きました。しかし、ワーキングメモリの中核部位である前頭葉46野は局所的に活性化していました。彼にとっては難なくできるレベルの計算であるにもかかわらずです。

ルーティンに流せるレベルなのにです！

さきほど紹介した芸大の彼女の場合でも似た現象が観察できました。

素人の方が、前頭葉全体では活性化していました。一生懸命考えながら描いていたのだと思います。一方、彼女の場合は前頭葉は全体としては鎮静化していました。しかし、複合的な多重作業時に活動する前頭葉の10野が局所的に活性化していました。手慣れたリンゴのデッサンであるにもかかわらずです。

どうやら、その道のプロたるには、どんな些細な課題に対しても前頭葉を活性化させ続けて、前頭葉以外の脳の処理力をさらにレベルアップしようとし続けることが必要なようです。

慣れてしまう事柄もルーティン化させない。なお気持ちを込めて、脳を活性化させることが、一歩先行くための必須条件のようです。

●「ゴールは遠いよ！がんばって」

さて、「勝負脳」の中に、「最後まで『勝った』と思わない」、という項目がありました。「**いつも、自己ベストの3割増を出そうとする**」という項目もありました。

これらの項目には、**人はゴールが近いと意識してしまうと、無意識に力が抜けてし**

まう。だから、意識上のゴールを、実際のゴールより遠くに設定しよう、そしてゴール前の失速を抑え、勝負強さを身につけようといった意味合いも含まれています。

先日、ＮＨＫの「クローズアップ現代」という番組から、この**「ゴールを遠くに設定した方が効果的である」ということを、脳計測をからめた実験で見せられないかという相談がありました。**

林先生もぜひ参加したいとのこと。

わたしの大学にある多チャンネルＮＩＲＳは、他の脳計測機器に比べて動きに強いのが特徴です。ＭＲＩやＰＥＴのように仰臥《ぎょうが》姿勢が基本ということはなく、机に座ってあれこれする実験などは大得意です。とはいえ、泳いでいる最中の脳となると追い切れません。そこで、林先生をはじめみなさんからお知恵を拝借して、次のような実験をすることにしました。

まず、オリンパスのドライバーズビジョンを用意します。そのうち、巨大液晶タッチパネルの各所に白丸が次々に表示され、素早くタッチするゲームを使いました。ドライバーズビジョンでは、その反応時間や位置の正確さから得点が出ます。

まず最初に、1分間のゲームを被験者に2回行ってもらいます。そこで目標設定をします。たとえば、1回目が560点、2回目が580点だったとしたら、次回からの目標を600点とします。

そして、その目標を目指して、6回チャレンジしてもらいます。このとき、それぞれの回で40秒たった時点で言葉がけをします。600点が目標なら、40秒時点では500点が目安になるといっておきます。そして、その目安に足りない場合は「ゴール遠いよ」、満たしている場合は「ゴール近いよ」という言葉がけをします。


「今、450点、ゴールは遠いよ。がんばって」

「今、520点、ゴールは近いよ。そのままでいいよ」


しかし、実際の言葉がけは、そのときの得点とは無関係に、ランダムに振り分けて行いました。そして、それぞれのパターンでの脳活動を比較しました。

結果、正直、こんなにうまくいくとは思わなかったのですが、「ゴール遠いよ」と

いう言葉がけの方が、脳が活性化しました。特に活性化したのは、前頭葉と、特に頭頂連合野でした。

このタッチ課題の場合、白丸の位置を空間的に把握し、その位置に向けた空間的な出力が必要です。それらにかかわるのが、左右の頭頂連合野ですから、「ゴール遠いよ」の方が、気合いが入り、その分、必要な部位の活動が増すということでしょう。

また、実験に立ち会った林先生の解釈では、「ゴール」という認識そのものが空間認知なのだそうです。つまり、この結果は、「ゴール遠いよ」の方がゴールの意識が強まった結果だと考えられるというのです。

いずれにしても、実験結果から、ゴール間近では「まだまだ」と思った方が脳は活性化し続けると思われました。

そしてそう思うことが自分を伸ばすことにつながりそうです。

★レッスン28
少し手間がかかるかもしれませんが重要なレッスンです。
古文の教科書などにも登場する、徒然草の「高名の木のぼり」の話を思い出し

てください。わからない人はネットなどで調べてください。
この「高名の木のぼり」の話を、人の育て方という観点から解釈しなおしてください。

慣れてくるとパフォーマンスが向上してきます。それは同時に、前頭葉を活性化させなくてもよくなること、気合いを入れなくてもいいようになることを意味します。

そうなってきたときに、**今以上に気持ちを込める、前頭葉を活性化させる、ひとムチ入れる、さらに厳しい課題を自分に課す。**

それが、自己限界を超えていくコツです。

このときの敵は他者ではありません。自分です。

自分を超えていくという研鑽《けんさん》（深く究めること）は、前頭葉を巨大化させた人類だけに許された所業です。

●ゴールネゴは必須

もうひとつ、このNHKの実験には指摘しておきたいポイントがあります。

それは、**事前のゴールネゴシエーション（ゴールについての話し合い）の必要性です。どこを、何を目標にするかという、目標設定とゴールの具体化の話し合いの必要性です。**

先ほどの実験では、1回目が560点、2回目が580点というように実際に計測を行い、そこから次回からの目標を600点などと具体的に決めていました。やや困難ではあるが実現可能、そのぐらいのラインを実績から設定していました。また、設定については被験者と話し合い、合意の上で目標設定をしました。

このゴールネゴシエーションのプロセスが重要らしいのです。

実は先ほどの実験で、1人だけこのゴールネゴシエーションをし忘れた被験者がいました。後で聞いたところによると、こちらがいわんとする意図は理解できていました。しかし、この被験者では、「ゴール遠いよ」「ゴール近いよ」による脳活動の差が現れませんでした。

ゴールについての話し合いの重要性、ゴールの意識化の必要性が、はからずも浮き彫りになりました。

●ブリーフセラピーのゴールセッティング

ところで、わたしは脳研究のかたわら、大学の学生相談室長を長年しています。そのカウンセリング業務で頼りにしているのはブリーフセラピーの考え方や方法です。

わたしはブリーフセラピーを、KIDSカウンセリングシステム研究会で森先生、黒沢先生に教えてもらったのですが、KIDSのHPではブリーフセラピーを以下のように説明しています。

「ブリーフセラピーとは、故ミルトン・エリクソン医学博士の治療実践に啓発をうけて作られた一連の心理療法モデルのことで、わが国では「短期療法」と訳されていま

す。

その名の通り、どうクライアントとかかわることが毎回の面接を効果的にし、結果として面接期間を短縮できるかにこだわって開発されたモデルです。

ブリーフセラピーにはいくつかのモデルがありますが、ＫＩＤＳでは、解決志向ブリーフセラピーモデルを中心に御紹介しています。

解決志向モデルは、従来の問題志向とは異なり、問題や病理、原因にこだわるのではなく、クライアントの持っているリソース・解決像に焦点を当てる方法です。

そのため、真にクライアントを支え、クライアントの能力を引き出す、安全で効果性の高いモデルとなっています」


解決志向モデルでは、クライアントとセラピストの関係の査定が重視されています。セラピストにとってクライアントはビジター（訪問者）として今いるのか、コンプレイナント（不平不満をいう人）としているのか、カスタマー（顧客）としているのかを刻一刻判断します。

クライアントがビジターやコンプレイナントなら、ああした方がいい、こうした方がいいといった提案は無駄か、かえって害悪にすらなります。一方、クライアントがカスタマーであったら、クライアントのゴールを、クライアントのリソース探しをしながらセッティングする必要があります。そしてゴールを具体化して、たとえば次回までの課題を設定します。

解決志向モデルでは、このゴールセッティング、ゴールネゴシエーション自身が治療的であると考えられています。そのあたりの詳細は、森先生や黒沢先生の成書などをあたっていただくとして、ここでは解決志向モデルでのゴールセッティングのポイントをいくつかあげておきます。

●ゴールは具体的に！ 肯定形で！

ゴールには良し悪しがあります。

うまいゴールと、まずいゴールがあります。

たとえば、「賢くなりたい」とか「明るくなりたい」とか「やせたい」というゴールはいいゴールではありません。

どうなれば「賢くなった」といえるのか、「明るくなった」といえるのか、「やせた」といえるのか、はっきりとはわからないからです。

目標が達成されたのか、評価のしようがないからです。

評価のしようがなければ、達成感が得られずハマりの回路も回り始めません。

「賢くなりたい」では評価できませんが、「次回の英語のテストで80点をとる」「教科書の江戸初期の文化を覚える」「この2ページを学習する」ならば、それができたのかできなかったのか簡単に評価できます。

簡単に評価できると、できた場合にドーパミン系が働いて学習行動が強化されます。

「明るくなった」では評価できませんが、「1日3回笑う」「書類は胸をはって渡す」「朝は布団をはねのけて起きる」ならば、したか、しないのかがはっきり判定できます。

「やせた」かどうかは、わかりそうでいて、どのくらいやせたらOKなのかわかりません。しかし、「1カ月後、今より体重を1キロ落とす」「3週間でお腹回りを5センチ減らす」あるいは、「足こぎ腹筋を、毎日100回、2週間続ける」ならば、結果、できたかできなかったか、すぐにわかります。

ゴールは抽象的ではなく具体的で、評価可能な形がいいのです。

たとえば、断酒を目指すとして、「お酒をやめる」というのはあまりいいゴールではありません。3日断酒に成功したとしても、「お酒をやめた」ことになるのかわからないからです。極論すれば、「お酒をやめる」という目標は永久にゴールがありません。

それならば、「今日1日断酒する」の方がゴールとして優れています。1日1日、評価可能だからです。実際、アルコール依存症の断酒会では、1日1日を断酒することが目標とされ、その日1日の成功を喜ぶことがすすめられています。禁酒行動にハマるためには、こまめな脳への報酬が必要なのです。

ゴールは具体的で評価可能な形が望ましいですし、できれば「肯定形」で書けるゴールがいいゴールです。

たとえば、断酒の場合でも、「お酒を飲まない」という「否定形」で表現されるゴールは、期限を区切れば評価可能になるとはいえ、「お酒を飲みそうになったら、水を飲む」とか「ほっぺをつねる」とか、「肯定形」で表現されている方が、評価が楽です。それをしたのか、しないのか、できなかったのか、できたのか、はっきりわかるからです。

「たばこを吸わない」というのもいいゴールとはいえず、「たばこを吸いそうになったら、その1本をゴミ箱に捨てる」といった肯定形で行動の形で表現されるゴールがいいゴールです。

★レッスン29
あなたの当面の勉強のゴールは何ですか？
それを、具体的な行動の形で、肯定形で表現してください。

●ゴールを具体的にするには？

ゴールを具体的で、肯定形にするには、「では○○となったとしたら、具体的にどうなっているの？」と問い続けることです。

たとえば「賢くなりたい」。

「賢くなったとしたら、何が変わっているの？」
「賢くなった自分を具体的にイメージすると、何が今と違うの？」
「具体的には？」
「そうなったとしたら？」

としつこく問い続け、手近なゴールを設定することです。

★レッスン30
あなたの勉強のゴールを、これからスグに始められる課題にまで具体化してください。かみ砕いてください。

ゴールが具体的になり、行動の形で表現され、またその表現が肯定形であるならば、そのゴールは実現しやすい形になっています。それは、ハマりの回路が回りやすい形でもあります。

そして、そのゴール実現に役立つリソースも、あなたの視野に入ってきているはずです。あるいは、すでにそのゴールに近いところまで来ている自分に気づくかもしれません。いずれにしても、**ゴールを具体化することは実現可能性を上げることそのものです。**

★レッスン31
勉強を始める前に、これからどれだけの時間、勉強するかを決めましょう。それから、どこまで勉強するか決めましょう。

そこまでできたら、自分を褒めましょう。
可能なら、褒めてくれる人を用意しましょう。

●週のリズムを知ろう！

すでに指摘したように、**わたしたちの脳は身体のリズムに支配されています。**いつも寝ている時間には眠くなるのが当たり前ですし、いつも起きる時間に目覚ましなしで起きてしまうのもよくあることです。同じように、月曜日は苦手で、週末は元気がいいということがあるかもしれません。

こうしたリズムには平均的な傾向がありますが、それはあくまでも平均です。朝起きて、夜寝るのが平均的な姿ですが、夜中の仕事をしている人なら夜元気になっても不思議ではありません。

平均的にどうかを知るより、むしろ役に立つのは、個々人のリズムを知ることです。自覚することです。自覚して利用することです。

★レッスン32
まずは、あなたの週のリズムを振り返ってみましょう。

図の横軸は曜日で、縦軸は元気度です。最もへこんだときを0、最も元気なときを10として、図（188ページ）にあなたの先週のリズムを書き込んでください。

次に、こうなっていたらいいな、という理想のグラフを、現状からあまり離れない程度に、同じ図に書き込んでください。

● 1日のリズムを知ろう！

今度は1日のリズムです。サーカディアンリズムとしてよく知られたリズムがわたしたちにはあります。

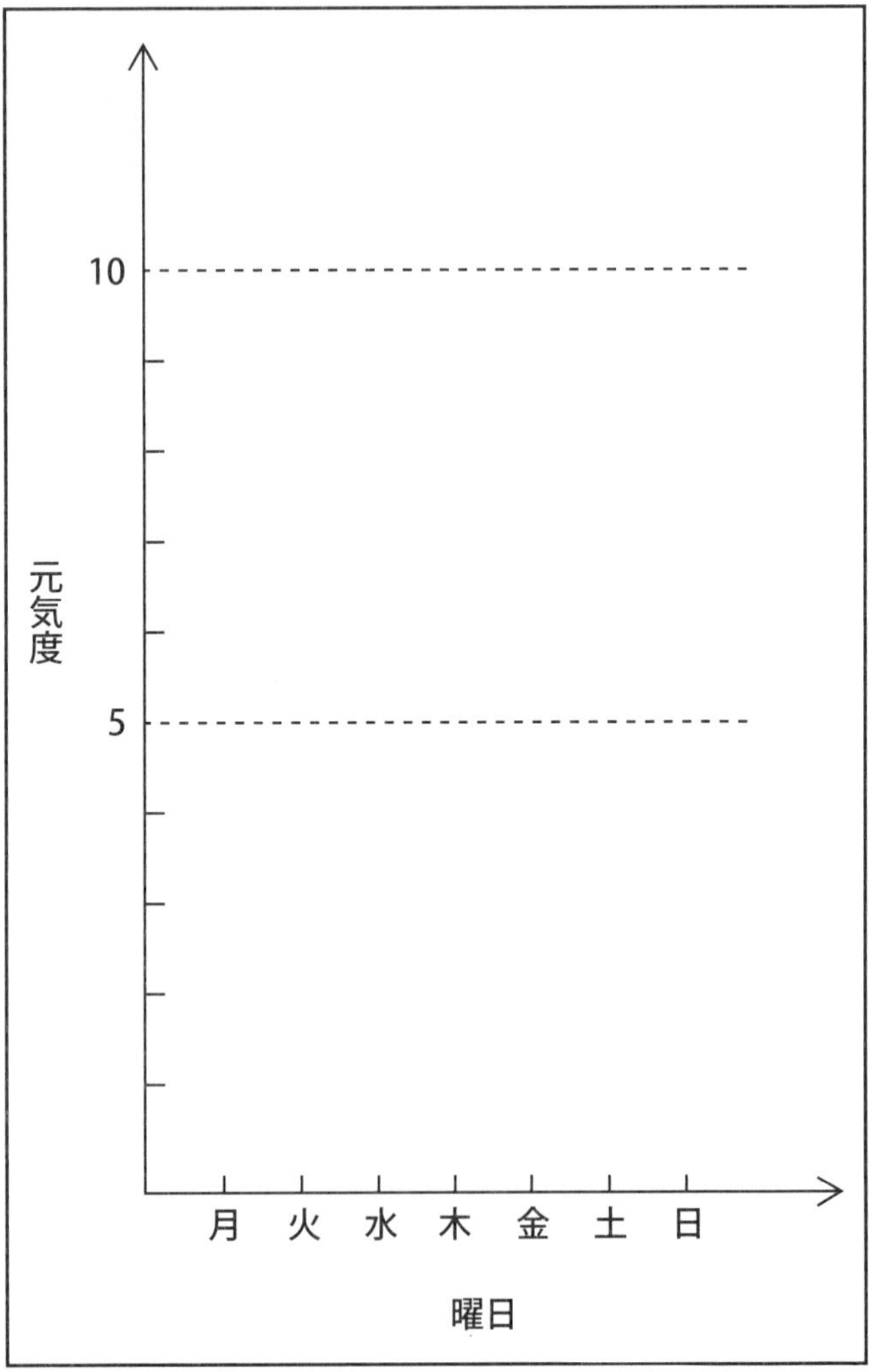
10
5
元気度
月
火
水
木
金
土
日
曜日

★レッスン33
図（190ページ）の横軸は時間です。縦軸は元気度。最もへこんだときを0、最も元気なときを10として、図にあなたの昨日1日のリズムを書き込んでください。

★レッスン34
今度は同じ図に、理想的な1日のリズムを書き込んでください。
ただし、リズムは必ず存在してしまうことは忘れないでください。0のときも10のときもあるように表現しましょうという意味です。

●15分勉強法

テレビを思い出してください。NHKでなければ、12〜13分に一度CMが入ります。NHKの場合でも、15分に数秒、インターバルが入ります。

この15分の単位は、テレビ局とスポンサーの都合という側面もありますが、「人の

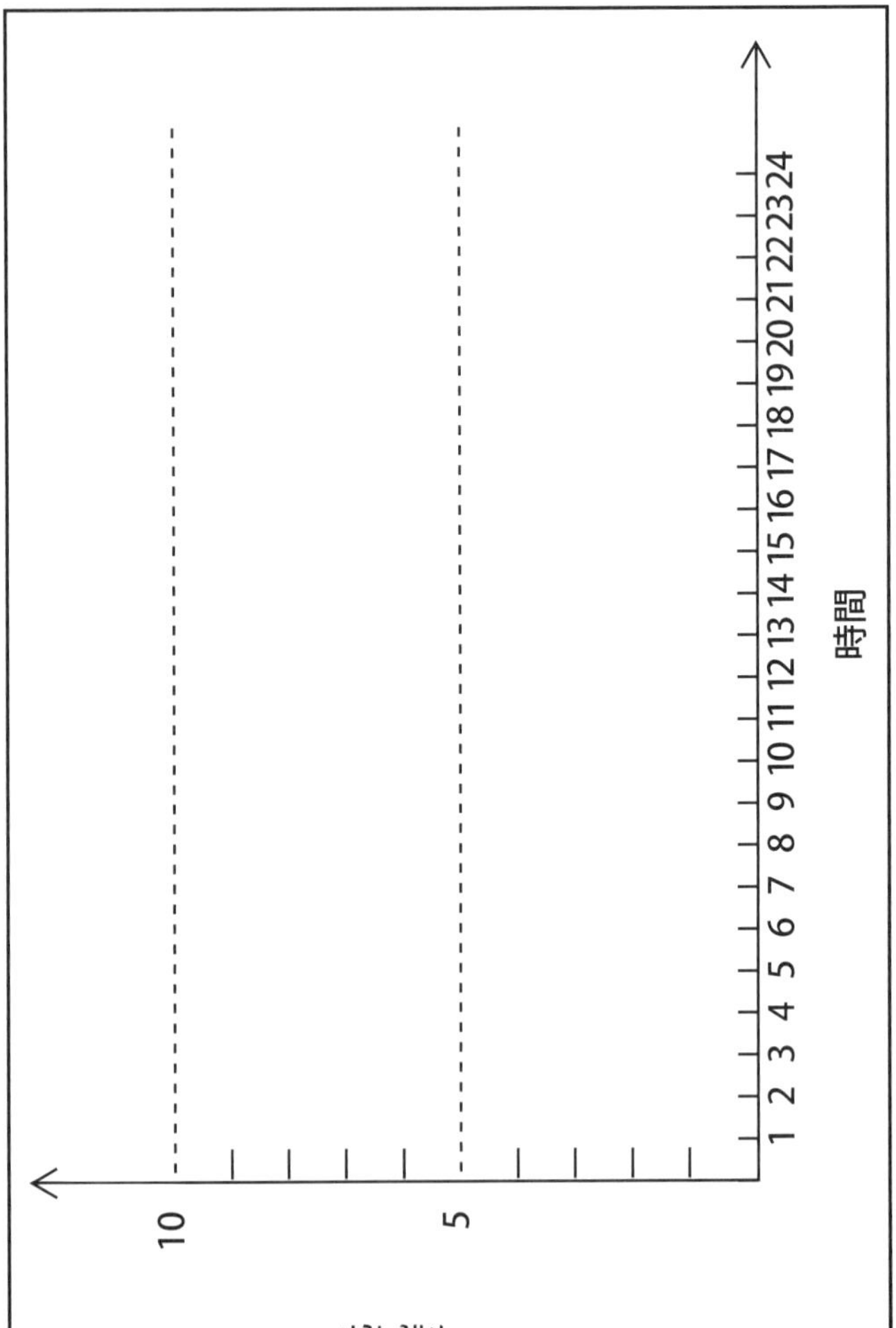
元気度
10
5
1 2 3 4 5 6 7 8 9 10 11 12 13 14 15 16 17 18 19 20 21 22 23 24
時間

集中力は15分も持てばいい方」という事情にもよります。

実際の脳活動を調べると、たとえばマージャンでは、最初15秒ほどで前頭葉活動はピークを迎えます。その後は緩やかに活動が低下していきますが、何かイベントがあればまた活動を増します。しかし10分ほどで安静時に近い脳活動が頻出します。15分も高い活動が続けば上出来です。

また、わたしたちはこのテレビの15分単位で育ってきている側面もありますから、15分を単位に勉強の流れを考えるのは、身体のリズムに合った方法になります。

もうひとつ、テレビ番組の単位は30分、60分、90分。学校の授業も45分から90分ですから、**勉強では60分をひとまとまりとするのが、扱いやすくおそらく合理的な単位になります。**

そこで、60分で何かを学習するとき、
初めの15分で、この60分で何を学習するのかその全体を見通します。
次の15分で、記憶が必要なら記憶項目を記憶しやすい形で書き出します。
次の15分で記憶、理解します。

次の15分で理解を確かめます。

起承転結。15分の4セットで60分の勉強を考えます。

60分もあればもっと進むのに。そう考えるかもしれません。ざっと目を通すことでOKな内容なら、起承転結など考えなくてもいいかもしれません。しかし、新しい事柄を理解し、呼び出し可能な形で記憶していくためには反復と反芻《はんすう》は必須です。よほどの記憶力の持主でない限りは、**15分ぶんの中身の一定の定着には60分程度はかかります。**

★レッスン35
今始めようとしている勉強で、この起承転結の4セットで学習している自分をイメージしてください。

あとがき　集中と記憶を強めるための勉強に対する心構え

本書を最後まで読んでいただきありがとうございます。

ゴールを具体的に、適切に設定し、うまく身体のリズムをつかんでハマりの回路を作動させる。その方法をこの本では解説してきました。多くのレッスンを通して、そのイメージを皆さんにつかんでいただく構成にしました。

この体験はきっと皆さんの役に立つと思います。

しかし、ゴールを具体的、適切に設定し、うまく身体のリズムをつかみ、ハマりの回路を作動させる。その根っこになる部分をしっかりさせなければ、役に立たない努力の空回りをしてしまいます。

もしくは、うまく立ち回れたようでいて、空しい結果だけが残ってしまいます。

あなたがしようとしていることが、どこかで、「世のため、人のため」につながっていなければ、あなたのモチベーションはいずれ枯渇します。

また、人口減少社会では、人の努力が「世のため、人のため」により直結していくように社会が変化していきます。多くの人がばらばらに努力して、その結果の一部が世のため、人のためであれば、世の中が維持されていく。そういう社会は、人口増大社会です。人の努力が、世のため、人のために直結するよう、世の中の仕組みが変化していかないようなら、人口減少社会を支え切れません。

逆にいえば、「世のため、人のため」を念頭に、日々を送ることが、無駄のようでいて世の潮流に乗る最短のルートになります。

柔術が柔道に、剣術が剣道に、弓術が弓道に、武士の生き様が武士道にと、わたしたち日本人はさまざまなことがらに「道（みち）」を求めてきました。武道系に限らず、華道、茶道、棋道、さらに、芸の道、お笑い道、ものづくり道、などなど。単なる技術ではなく、技術の追求のプロセスに人生を埋め込んでいる。そこで人生が鍛えられていく。

技術の道（みち）が人の道（みち）。

海洋堂（ガレージキット・フィギュア・食玩等の各種模型を製作する会社）の宮園博久氏などを見ていると、「おたく道」なるものも、この日本では、とっくに生まれているようにも思えます。

わたしたち日本人は、「技術」や「方法」だけでは飽き足りません。そこに人の育ちを、人格淘汰を、人や世の中のありようを埋め込もうとします。そうすることで、ただの殺人の技が、達人の技へ、名人の境地へ、人としての高みへといざなわれていきます。美少女フィギュアに込められた何ものかが、現日本人の生きざまを示したりします。

どこかに「道」的な意識があるからこそ、ただの「技術」や「方法」が、人の心を打つレベルにいたれるのです。「道」的な意識のない小手先のテクニックは、人の心を打たないし、自分の心も打ちません。自分の心も打てなければ、やる気を維持しきれず、心も込めきれません。

結局、集中力も記憶力も高まってはくれません。

せこい目的意識は、せこい結果しか生みません。

試験勉強だって、資格試験の勉強だって、そろそろ「道」的な意識に覆われなければなりません。これだけの時間、日本人が打ち込んでいるのなら、まして、それを教えることが生業《なりわい》である人たちがこれだけたくさんいるのなら、「勉強」が受験の手段、入社の手段、出世の手段だけでいていいはずがありません。

勉強法や受験術は、勉強道（べんきょうどう）、受験道（じゅけんどう）に昇華すべきです。

勉強が「道」になるとき、わたしたちの目的意識は、一段の高みにいざなわれます。「うまく学んで」「うまく集中して」「よく記憶する」「いい点数をとる」、それだけを目的とするよりも、その学びの過程、集中の過程、記憶の過程そのものを目的化することの方が、より「うまく学べ」「よく記憶でき」「より点数をとる」ことを可能にします。

目的意識の高さが、集中力、記憶力を支え、研ぎ澄ますのです。

金儲けだけを目的にしてＯＫだった時代は、拝金主義の「恥ずべき開き直り」をもってほぼ終わりました。世のため、人のため、国のために公僕を目指したはずが、公務員一種試験に合格した自分にふさわしい老後を用意することに心を砕く結果となってしまった官僚システムも、そろそろ大きな変革期を迎えます。キャッチーな題名だけで本が売れる時代も終わります。

何かの手段としてだけの勉強や学習も終わりを告げるでしょう。

「世のため」
「人のため」

そう語れない、すべてのものが瓦解《がかい》していきます。特に、この少子高齢化社会では、無駄をたくさん用意して、うまくいったものだけを淘汰的に残していく、その余裕が失われていきます。

本当に役に立つもの、未来につながるもの、人を豊かにするものだけが残っていき

ます。まして、超不況社会の中ではなおさらです。

繰り返しますが、「試験合格のため」よりは、「世のため」「人のため」という意識で学ぶ方が、集中力も、記憶力も高まります。

高い目的意識がパフォーマンスを支えます。

それこそが、「人らしさ」です。

もうひとつ、大事な意識があります。「学力」や「知識」は、個人のものではなく「公共財」だという意識です。

みなさんが獲得している「知識」や「考える力」は、みなさん個人の資質をベースにしながらも、親御さんや周りの人、保育園や幼稚園、学校、会社、社会によって、よってたかって作り上げられてきたものです。

決して、あなただけのものではありません。

社会的なインフラがあなたの「学力」や「知識」や「考える力」を支えたのです。

そのシステムが有効だからこそ、人類は、学校というシステムを作り出し、税金をつぎ込んで維持しているのです。

世の力を上げて、あなたの「脳」を鍛えようとしたのだし、次世代の脳を鍛えようとしています。

だからこそ、あなたの脳の力は、本質的には社会に還元されていくべきものなのです。

わたしには、みながブログを書いたり、様々なスレッドで、善かれ悪しかれいい合ったりしているのも、結局は、脳の公共性がなせる業（ごう）によるものだと見えます。

その意識を昇華させて、自分の「脳」を社会のものにしていきましょう。

その意識こそ、脳を鍛える最良の薬です。

篠原菊紀

〈著者プロフィール〉

篠原菊紀（しのはら・きくのり）

諏訪東京理科大学共通教育センター主任・教授（脳・人システム）。学生相談室長。

東京大学教育学部卒業。同大学院教育学研究科博士課程等を経て、現職。

多チャンネル近赤外線分光法を使って、「学習しているとき」「遊んでいるとき」「運動しているとき」など日常的な脳活動を調べている。

NHK「ためしてガッテン」、「クローズアップ現代」、「解体新ショー」、「夏休み子ども科学電話相談」、TBS「カラダのキモチ」、日テレ「おもいっきりイイ!! テレビ」「サプライズ」、テレビ朝日「大人のソナタ」、テレビ東京「レディス４」、ＳＢＣ「三時は！ららら♪」、など、ＴＶ、ラジオ、雑誌、新聞などでの実験、解説多数で脳活動の面白さを伝えている。

アミューズメント産業、教育産業、観光産業、自動車産業などとの共同研究多数。

『未来の記憶のつくり方』（化学同人）、『僕らはみんなハマってる』（オフィス・エム）『キレない子どもの育て方』（集英社）、『不老脳』（アスキー新書）、『図解・頭をバージョンアップする　潜在脳の活かし方』（早わかりＮ文庫）など著書、監修多数。

オフィシャルホームページ「はげひげ」の脳的メモ
http://higeoyaji.at.webry.info/

脳年齢推定の出来る携帯サイト「しのはら式脳が良くなる研究所」
http://nouken.net/

勉強にハマる脳の作り方

2009年 4 月22日　　初版発行
2009年 5 月30日　　7刷発行

著　者　篠原菊紀
発行者　太田宏
発行所　フォレスト出版株式会社
〒162-0824 東京都新宿区揚場町 2 − 18　白宝ビル 5F
電話　03 - 5229 - 5750
振替　00110 - 1 - 583004
URL　http://www.forestpub.co.jp

印刷・製本　日経印刷（株）
©Kikunori Shinohara 2009
ISBN978 - 4 - 89451 - 331 - 0　Printed in Japan
乱丁・落丁本はお取り替えいたします。

フォレスト出版のベストセラー

残り97%の脳の使い方

~人生を思い通りにする!「脳と心」を洗う2つの方法~

本書では最新の脳科学と心理学に基づいた「他人を動かす技術」と「目標達成する技術」を紹介。周りの人間を自分の味方につけ、ストレスなく目標達成できるようになれば、人生は思いのまま。

苫米地英人 著
1575円(税込)
ISBN978-4-89451-323-5

フォレスト出版のベストセラー

頭の回転が50倍速くなる脳の作り方

なぜ、大人の脳は学習できないのか?
機能脳科学に基づいた本書の方法なら
クリティカルエイジ＝学習限界年齢を克服できる!
大人のための勉強法を公開!

苫米地英人 著
1365円（税込）
ISBN978-4-89451-264-1

フォレスト出版のベストセラー

脳は眼から鍛えなさい！

～頭の回転が10倍速くなるビジョントレーニング～

米国公認オプトメトリストの著者が教える
目と脳を同時に鍛えるトレーニングを公開！
衰えない脳が簡単に作れる！

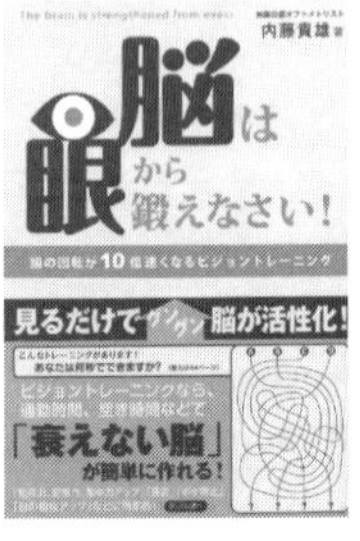

内藤貴雄 著
1365円（税込）
ISBN978-4-89451-330-3

脳神経外科教授が教える！脳の習慣

あなたの脳細胞は1日に10万個ずつ死んでいる！

同時に2つのことをやりなさい！

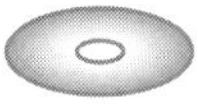

脳を若返らせるトレーニングCD付き

記憶更新トレーニング
漢字バラバラトレーニング
脳年齢測定など…
9つのトレーニングを収録！

板倉 徹著
1575円（税込）
ISBN978-89451-338-9

無料プレゼント!

脳科学者　篠原菊紀先生　録りおろし音声!

「勉強スランプ」にならない脳の作り方

期間限定無料ダウンロード

〜モチベーションを上げる「3つのクエスチョン」とは?〜

「勉強に集中できない…」

「記憶したことを忘れてしまう。
記憶することが苦痛だ…」

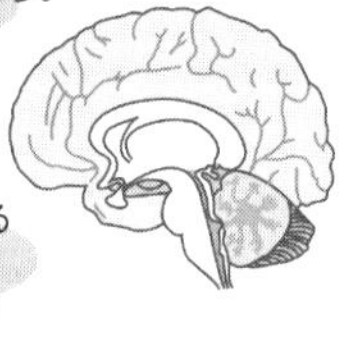

「毎日、コツコツ勉強を
続けることができない…」

「あなた一人だけが勉強している
ような気分になって、
モチベーションが続かない…」

…などで、「勉強へのヤル気が続かない」というあなたのお悩みを解決します!

今スグこの音声を手に入れてください!

（申し込みは下記をご覧ください）

今すぐアクセス↓　半角入力

http://www.forestpub.co.jp/yaruki

【無料音声ファイルの入手方法】　フォレスト出版　検索

1. ヤフー、グーグルなどの検索エンジンで「フォレスト出版」と検索
2. フォレスト出版のホームページを開き、URLの後ろに「yaruki」と半角で入力

※音声ファイルはホームページからダウンロードしていただくものであり、CDなどをお送りするものではありません